달에서 내려온 전화

부크크오리지널은 부크크의 기획출판 브랜드입니다.
여러분의 투고를 기다립니다.

달에서 내려온 전화

초판 1쇄 인쇄 2022년 1월 24일
초판 1쇄 발행 2022년 1월 31일

지은이   글지마
펴낸이   한건희

책임편집   유관의
디자인   조은주

주식회사 부크크

출판사등록 2014. 07. 15(제2014-16호)
주소   서울특별시 금천구 가산디지털1로 119 A동 305호
전화   1670-8316
홈페이지   www.bookk.co.kr   **이메일**   editor@bookk.co.kr
블로그   blog.naver.com/bookkcokr   **인스타그램** @bookkcokr
ISBN   979-11-372-6654-4 (03810)

달에서 내려온 전화

글지마 지음

차례

통화국 대리인 한 봄

선잠에서 깨어났다. 저승차사가 흔들어 깨운 듯 찌뿌둥한 오후였다. 한봄은 이불 속에서 꼼지락거렸다. 이번 발령지는 유독 추위가 매서워 작년 겨우내 수족냉증에 시달렸다. 잠깐 드는 낮잠에도 꼬박 챙겨 신던 솜 양말은 어디 갔는지 보이지 않았다.

'발바닥 시려.'

한봄은 온기를 찾아 헤맸다. 오목한 발바닥을 뜨끈한 종아리 살에 붙였다. 기분 좋을 정도로 딱 들어맞았다. 한봄은 까슬한 이불 속을 유영하다가 발끝이 침대의 경계에 닿은 순간, 다급하게 몸을 웅크렸다. 적을 만난 공벌레처럼 척추를 동글게 말았다.

'직업병이 무섭군.'

슬슬 일어나야 했다. 일할 시간이었다. 한봄은 텁텁한 입맛을 뒤로하고 눈곱을 뗐다. 눈이 퉁퉁 부어 시야가 흐릿했다. 의자에 걸쳐둔 사자복을 걸치자 그제야 알람 시계가 울었다. 따르르따르르- 마치 화재경보기처럼.

한봄은 부랴부랴 해머벨부터 붙잡았다. 시계가 뭍에 오른 장어처럼 요동쳤다. 황급히 전원을 끄자 몇 초 후 1010호에서 쾅 소리가 넘어왔다. 한봄은 호응하듯 벽을 두 번 쾅쾅 내리쳤다. 층간 소음을 겪는 이웃에게는 미안한 일이었지만 잠귀 어두운 그녀는 젊은 나이에 벌써 일자리를 잃고 싶지 않았다.

한 씨 성의 봄 처자. 그녀는 왕벚꽃이 만개한 음력 2월에 태어났다. 이번 동네, 아니 동네보다는 시골이란 표현이 적합한 펄랭이 마을에서 그녀는 근무한 지 11개월 만에 다양한 별명을 얻었다. 1동 10층 젊은이, 예쁜 저승사자, 금붙이 까마귀, 죽음을 부르는 귀신, 가끔은 '지독한 년'이 그녀를 뜻했다.

'이름이 외자라 그래.'

한봄은 남들보다 한 글자 부족한 제 이름이 늘 불만이었다. 작명해준 할매는 당시 시가보다 네댓 배 비싼 가격을 받았다고 했다. 우리말 글자 '봄' 하나를 달랑 던져주면서.

할매는 아빠 등에 업혀 온 핏덩이 한봄의 얼굴을 찬찬히 뜯어보며 이렇게 말했다고 했다.

"이년은 명이 짧아. 타고난 명이 짧다고. 저 살려고 주변 사돈에 팔촌까지 잡아먹을 팔자야. 그러니까 기 꺾이게 이름이라도 예쁘게 지어야 해. 봄에 태어났다고? 복잡하게 지으면 오히려 액운 들어. 벚나무? 벚나무 꽃말도 좋지. 지조 있게 청렴하니까 얘는 나랏밥 먹고 살겠네."

부자가 망해도 3년은 간다는 말이 있다. 할매는 시쳇말로 '신 빨 떨어진 무당'이었으나 그녀의 엉터리 예언은 효력이 길었다. 실제로 한봄은 나랏밥을 먹고 있으니 말이다. 무려 생명 수당까지 챙겨받는 공무원이었다.

한봄은 책상 위에 올려둔 은색 라이터와 가위를 집어 들었다. 보름날에는 그래도 일이 수월했다. 거실 창밖으로 어느새 어슴푸레한 어둠이 비쳤다. 땅거미가 노을을 몰아냈다. 온기가 세상을 밝히던 아침과 달리 밤은 위험했다. 어둠 속에 사는 괴물들이 인간의 삶을 관음했다.

한봄은 훤히 들여다보이는 아파트 뒷동이 신경 쓰였다. 메리야스 차림으로 TV를 보는 중년, 휴대폰 보며 운동하는 청소년, 긴 머리 말리는 처자, 옷 개는 총각, 집안을 누비는 아이들까지. 그들의 사생활을 무심히 지켜보던 한봄은 급히 고개를 돌렸다.

훔쳐보기 좋은 겨울밤. 한봄은 이중창 새시를 열었다. 그러고는 허벅지까지 내려오는 검은 두루마기를 여미며 슬리퍼를 신었다. 그녀는 창문에 이마를 바짝 붙이고 바깥 풍경을 내려다보았다. ○○주공아파트 앞으로는 오늘도 암곡천이 거세게 흐르고 있었다. 암곡천은 심하게 굽이진 탓에 물살이 빠르고 거셌는데 덕분에 운 좋은 날이면 밤에 뜨는 무지개를 목격할 수 있었다. 펼랭이 마을의 명물인 '밤 무지개'는 오직 달이 태양처럼 밝은 날에만 모습을 드러냈다.

한봄은 블라인드를 끝까지 걷어올렸다. 곧 오후 7시 20분. 오늘은 보름달이 휘영청 밝은 음력 15일로, 이승과 저승이 연결되는 날이었다. 예부터 생자는 둥근 달에 비나이다 비나이다, 손바닥을 비비며 망자의 무탈을 기원했다. 그 염원이 하늘에 닿아 염라는 한 달에 두 번씩 그들을 끈으로 이어주었다. 붉은 전화줄 띄워 보내는 보름날이면 생자들은 일몰 시각에 맞춰 집으로 향했고 거리는 금세 인적이 뜸해졌다.

한봄은 고개를 빼꼼 내밀어 외부 상황을 살폈다. 불 켜진 아파트 2동의 수많은 침실. 그 창밖으로 투명한 아지랑이가 스멀스멀 기어 나왔다. 전화줄이 정상적으로 작동하는 걸 확인한 한봄은 거실로 돌아왔다.

통화국 대리인에게 주거지는 곧 일터였다. 그리고 한봄의 업무 공간은 창을 향해 놓인 전화 테이블이었다. 20세기 서양 문화권에서 주로 사용됐던 이 가구는 의자의 한쪽 손잡이에 간이 테이블을 부착한 모양새였다. 한 뼘 크기의 테이블 위에는 회전식 다이얼 전화기가 자리했다.

한봄은 상아색 등받이에 꼬리뼈를 들이밀었다. 그녀는 허리를 꺾어 테이블 밑에서 네모난 자개함을 꺼냈다. 자개함은 옻칠이 반질반질한 경대[1]였다. 통화국 대리인들의 필수 사무 용품인 경대는 그 외관이 개인별로 다르고 쓰임이 다소 특별했다. 한봄의 경대 뚜껑에는 나무 한 그루가 자랐다. 오색영롱한 소나무는 그 주변에 커다란 원을 두르고 있다.

꼭 네놈 같지 않으냐?

염라가 원 안에 갇힌 나무를 꼭 집어 말했다.

그날은 통화국 대리인을 처음 시작하는 직원들에게 사장님이 물품을 하사하는 자리였다. 지옥 왕은 비웃음을 흘리며 한봄에게 함을 던졌다. 경대는 아주 무거웠다. 그 크기 또한 두 손으로 들기에 버거울 정도였다. 그녀는 차분히 뚜껑을 훑어보았다.

소나무가 뿌리 내린 땅은 가시밭길이었다. 나뭇가지 끝으로 채 다 피우지 못한 꽃봉오리가 듬성듬성했다. 텅 빈 원형 바깥이 오히려 평안해 보이는, 아이러니한 자개 무늬였다.

"이건 무슨 꽃나무예요?"

---

1) 거울을 버티어 세우고 그 아래에 화장품 따위를 넣는 서랍을 갖추어 만든 가구.

한봄이 물었다.

염라는 모른다고 답했다.

여기 남지 그러느냐?

떠나려는 그녀에게 지옥 왕이 은근한 목소리로 물었다.

한봄은 고개를 저었다. 깊숙이 머리를 숙이며 "함은 감사히 사용하겠습니다." 하고 마음을 전할 뿐이었다.

그녀의 다소곳한 인사에 염라가 화르르 불길을 치뿜었다. 그러고는 파견 줄의 마지막에 서 있던 한봄의 동기, 길강욱에게 나비가 넝쿨째 얽힌 자개를 화풀이하듯이 던져 주었다.

생각이 바뀌거든 언제든 소식 전하거라.

그 말을 끝으로 염라는 화마 속으로 사라졌다.

'조선 후기 때 썼다고 했던가.'

한봄은 지옥의 다섯 번째 왕과의 대화를 떠올리며 함을 열었다. 2단 경대는 단출한 사각형 꼴이었다. 뚜껑 벽면에는 거울을 부착했고 그 옆에 여러 겹으로 겹쳐 묶은 붉은색 안대가 자동차 열쇠처럼 걸려 있었다. 자개함 1층 안은 각종 단장 물품들로 가득했다. 화려한 금붙이와 색조 화장품이 담긴 도자기 그릇도 있었다.

한봄은 힐끗 시간을 확인했다. 벽시계는 이제 오후 7시 30분을 가리켰다. 일몰까지 앞으로 15분 남짓. 그녀는 화장용 붓으로 연지를 콕 찍었다. 눈을 감고 눈두덩 위로 붉은 눈매를 덧그렸다. 악귀를 쫓아내기 위한 이러한 의식 행위를 길강욱은 '신라 화장'이라 불렀다. "이놈의 무식하게 두꺼운 금붙이!" 하고 욕지거리하는 길강욱의 목소리가 들리는 듯했다.

단정한 차림새를 좋아하는 한봄은 아무런 장식 없는 금가락지를 검지에 꽂았다. 그녀는 습관적으로 귀머리를 쓸어 넘겼다. 목덜미에 찰랑거리던 머리칼이 귓바퀴에 착 감겼다.

겨울 속 여인은 영 핏기가 없었다. 하얀 뺨 위로 푸른 핏줄이 도드라졌다. 콧날은 길쭉했고 콧방울이 화살촉처럼 뾰족했다. 깊은 눈동자를 덮은 얇은 외까풀 덕분에 인상은 나른했다. 한봄은 미간이라도 찌푸려야 상대방이 오히려 안정감을 느낄 정도로 무표정이 차가운 사람이었다. 좋게 말해 현대인이 선호하는 미모를 가졌고 흠을 잡자면 생기 없는 시체 같았다.

한봄은 옷깃을 추슬렀다. 검은 사자복이 몸에 착 감겼다. 솜양말까지 찾아 신고 전화 테이블에 앉았다. 그녀는 무릎을 끌어안으며 발톱 하나도 근무지를 벗어나지 않게 꼼꼼히 확인했다.

경대 1단을 가위 벌리듯 양쪽으로 열자 공지판이라 불리는 나무판자가 모습을 드러냈다.

'오늘은 몇 가구나 신청했나.'

한봄이 공지판 표면을 검지로 훑었다. 인두기가 지나간 듯 모락모락 연기가 피어오르더니 판자 위로 글자가 새겨졌다.

대리인 한봄	접속 승인 완료
××시 ××면 암곡리 관할	××년/ ××월/ ××일
면적 20km 반경 3km	오늘의 일몰 시각 19:45
인구 14,049명 3,159가구	전화 신청자 102명 (거절 1, 불허 1 포함)

저승에서 오늘의 소식을 알렸다. 통화국 대리인들은 공지판을 통해 음력 15일 보름날에는 전화 신청자, 음력 27일 그믐날에는 사망 신청자 명단을 전해 받았다. 한봄은 별다른 특이 사항은 없는지 한 번 더 내용을 살핀 후에 공지판을 들어올렸다.

경대 2단은 길거리 하수구 빗물받이와 구조가 비슷했다. 사각형 판자에 뚫린 구멍 사이로 내부를 드문드문 들여다볼 수 있었다. 판자 덮개에 낸 골은 세로로 길쭉했는데 가느다란 바게트 십여 개가 일렬로 늘어선 모양이었다. 구멍 양쪽 끝에는 작은 진주알 크기의 전구가 하나씩 박혀 있었다.

통화국 대리인들은 경대를 자개함, 보관함뿐만 아니라 실타래함이라고도 일컬었는데 그 이유는 저기 창밖에서 벽을 타고 1009호를 향해 기어오고 있는 102줄의 보름줄과도 관련이 있었다.

전화 신청자의 전화기에서 피어난 아지랑이가 통화국 대리인의 집으로 몰려왔다. 아지랑이들은 서로가 서로를 게걸스럽게 잡아먹으며 붉은빛으로 물들었다. 한데 엉킨 실타래처럼 몸집을 불린 붉은 뱀이 돌진해오자 한봄은 어깨를 비틀어 피하고는 단번에 전화줄을 낚아챘다. 베테랑 기수가 말의 고삐를 조이듯이 실타래를 손뼉에 감았다. 수화기를 집어들자 전화줄이 언제 요동쳤냐는 듯이 추욱 몸을 늘어뜨렸다.

"후우."

한봄은 숨을 몰아쉬었다. 관자놀이에 흘러내린 땀을 손등으로 훔치며 다이얼을 돌렸다. 동그란 회전판 구멍에 손가락을 끼우고 끝까지 당겼다. 차르르륵- 하고 오래된 카메라가 필름 되감는 소리를 내며 다이얼이 제자리로 돌아갔다.

303208.

여섯 번의 전기 신호 끝에 달칵- 하고 무언가 내려앉았다. 저승과 어울리는 무미건조한 목소리가 수화기를 넘어왔다. 상대방은 먼 곳에 있는 듯 감이 멀었다.

"대리인 번호 01-1009. 한봄, 확인되었습니다. 오늘도 무난한 죽음과 만남을 부탁드립니다."

귀에 거슬렸던 잡음은 사라지고 전화줄이 다시 꿈틀댔다. 하나로 뭉쳐 있던 붉은 소원이 가닥가닥 나뉘어 아지랑이처럼 흐물댔다. 실 가닥이 제자리를 찾아 실타래판에 다가가자 불과 두 뼘 너비였던 자개함이 가로로 몸을 확장했다. 모든 전화줄을 수용할 만큼 길게.

생자가 쏘아 올린 편지가 보름달에 닿자 전화줄이 팽팽해졌다. 실타래함 아래쪽에 달려 있는 전구 위로 검붉은 숫자 여섯 개가 떠올랐다. 그것들은 전화 신청자의 동·호수를 뜻했다.

한봄은 다시 한번 공지판을 손가락으로 훑었다. 저승의 명단이 갱신됐다. 그녀는 전화 신청이 승인된 100명을 제외하고 거절된 01-1003과 불허된 03-0219에게 집중했다.

통화국 대리인이 외쳤다.

"100명 통과, 파란불."

"1동 1003호 거절, 노란불."

"3동 219호 불허, 빨간불."

그녀의 말을 따라 위쪽 전구에 팟- 하고 불이 들어왔다. 신호등처럼 세 가지 불빛으로 빛났다.

한봄은 가위를 집어 들었다. 거절의 실에는 날카로운 날붙이를, 불허의 실에는 라이터로 불을 붙였다. 하늘에 닿지 못한 두 개의 염원이 힘을 잃고 툭 떨어졌다. 여전히 102개의 전화줄을 손뼘에 감고 있던 한봄은 그것들을 세차게 한 번 잡아당겼다. 철컥- 하고 무언가 열리는 소리와 함께 생자들의 음성이 한꺼번에 터져 나왔다.

　한봄이 입을 열었다.

　"안녕하십니까. 통화국 대리인 한봄입니다. 저승에 접속하시겠습니까?"

한봄은 몸을 옹송그렸다. 툭 하고 무언가 대문을 쳤다고 생각했다. 눈을 뜨자 아침이었다.

'그대로 잠들었구나.'

한봄은 고개만 들어 수화기가 제자리에 놓였는지 살폈다. 눈을 끔벅이며 두세 번 더 확인한 후에야 전화 테이블에서 다리를 내렸다. 모로 잠들었던 상체를 등받이에서 떼어내자 척추가 소란을 피웠다. 극렬한 통증을 증거로 내세우며 파업을 선언했다.

어젯밤 일을 끝마친 한봄은 오전 8시가 될 때까지 뒤척이지도 않고 꼬박 12시간을 잤다. 100명의 전화를 저승에 연결하고 그들의 대화를 빠짐없이 경청하는 것은 예삿일이 아니었다. 죽은 배우자를 향한 원망, 서로의 영혼을 상처 입히는 살의와 비명, 18분 내내 이어지는 사랑의 소리와 그리움을 참는 울먹임은 형태만 다를 뿐 망자를 기억하려 한다는 사실은 같았다.

보름날에는 아무리 배부른 저녁 식사를 즐겨도 삽시에 배가 꺼졌다. 팝콘 한 사발, 단호박 파운드케이크와 아몬드 우유 190mL로도 때울 수 없는 고단함이 어젯밤을 스쳐 지나갔다. 그나마 보름날에는 식욕이 왕성한 편이었다. 곧 다가올 그믐날에는 식음을 전폐할 순번이었다.

다음 작업 날이 어찌되었든 당장은 목이 말랐다. 한봄은 상체를 일으켜 식수를 찾았다. 그녀는 냉장고 문을 열다가 쓰라린 통증에 손을 뗐다. 손바닥이 붉게 부어 있었다. 손금에 깊은 상흔처럼 굳은살이 박여 있어도 아픈 건 아픈 것이었다.

'가는 날이 장날이라더니.'

한봄은 고개를 떨궜다. 냉장고 안 어디에도 생수통은 보이지 않았다. 그녀는 베란다로 나가 단지에 위치한 슈퍼를 내려다보았다. 펄랭이 마을 사람들의 생필품 보급소인 민이 슈퍼는 굳게 문이 닫혀 있었다. 가게 주인 김옥자가 허리 디스크로 입원하여 잠정휴업에 들어간 탓이었다.

'편의점이 얼마나 떨어져 있더라.'

한봄은 휴대폰으로 편의점까지의 거리를 검색했다. 그나마 가장 가까운 ××편의점이 간신히 근무지 1km 이내에 있었다.

시골에서는 집 앞에 편의시설이 없는 것쯤은 곤란한 축에도 끼지 못했다. 도시 외곽 지역의 진정한 문제점이라면 첫째, 조악한 기본 인프라였다. 펄랭이 마을에는 가족끼리 장을 볼 수 있는 대형마트나 편안한 대중교통, 믿음 주는 공공시설 등등 무엇 하나 할 것 없이 부족했다. 버스를 타고 시내에 나가려면 30분이나 되는 배차 간격을 인내해야 하다 보니 자가용은 필수였다.

주변에 유흥거리라고는 55세 나이에 은퇴한 디자이너 출신 박 부장이 세운 노래방이 다였다.

둘째, 의료시설도 미비했다. 동네 의원이 문을 닫는 날이면 주민들은 수도권으로 병원 원정을 가야 했다. 지난주, 한봄 또한 지독한 고뿔에 걸려 약국에 들렀지만 주인이 일찍 문을 닫은 탓에 다음 날 아침까지 침대에서 끙끙 앓아야 했다.

셋째, 노동가능인구의 유출이 심각했다. 젊은 세대는 지극히 당연한 일인 것처럼 좋은 일자리를 찾아 도심으로 달아났다. 지자체는 지방 소멸을 막아보겠다며 논밭을 밀어내고 장난감 같은 아파트를 신축했다. 펄랭이 마을처럼 11층 이상의 건물을 지을 수 없도록 특수 규제된 구역을 제외한다면 대부분의 지방은 유령 마을로 전락했다. 공허한 빌딩풍만 도시를 쏘다녔다.

한봄은 편의점 위치를 다시 한번 확인하며 외투를 걸쳤다. 모자가 달린 얇은 면 소재의 점퍼였다.

'얼마 만의 외출이지.'

그녀는 양 손가락을 접으며 마지막 바깥나들이 날짜를 가늠했다. 이내 대문을 살짝 열어 문 틈새로 팔을 뻗었다. 배달된 신문을 찾듯 바닥을 더듬자 손끝에 동그란 용기가 잡혔다. 도시락통이었다. 오늘 아침 툭- 하고 철문을 밀어낸 것의 정체가 이것이었던 듯했다. 수학여행 때 싸들고 갔다면 자랑깨나 했을 법한 이층 도시락은 깔끔한 남색 천 가방 안에 들어 있었다.

'물이나 두고 가지.'

한봄은 무미건조하게 생각했다. 평일 아침마다 선물을 가져 다두는 이에게는 안타까운 일이었다. 지금 손에 잡히는 게 도 시락이 아닌 물통이었다면, 이 속 보이는 선물을 마지못해 집에 들였을지도 모른다고 그녀가 아쉬워했기 때문이다. 한봄은 차 가운 테라초 복도에 도시락 통을 되돌려놓고 걸음을 뗐다.

○○주공아파트 10층은 펄랭이 마을의 최고층이었다. 복도식 인 이 아파트의 중앙 통로에는 엘리베이터 두 대가 작동했다. 출 근 시간이면 꼭대기부터 차례로 전 층을 들르느라 속도가 더뎠 는데 지금이 딱 그 시간대였다.

한봄은 점퍼에 달린 모자를 뒤집어쓰고 승강기에 올라탔다. 엘리베이터가 6층에 멈추자 그녀가 걸음을 조금 물렸다.

문이 열리자마자 한 여인이 말했다.

"얘들아, 안녕하세요 해야지."

606호의 설이 엄마, 한예리였다.

"어른을 보면 이렇게 인사하는 거야."

그녀는 아이들에게 자신의 행동을 따라하게 했다. 솔선수범 하여 허리를 숙이자 꽉 올려 묶은 머리카락이 어깨 앞으로 흘러

내렸다.

한예리는 체구가 왜소한 편이었다. 어깨뼈가 앞으로 말려들어가 정자세를 취해도 구부정했다. 처진 눈은 어쩐지 처량해 보였다. 넓은 이마와 대조되게 정수리부터는 새까만 더벅머리가 뒤덮고 있었는데 이는 그녀의 유일한 자랑이었다. 설이 엄마는 '불쌍한 애 엄마' 취급이 싫어서 어른들을 상대할 때는 구태여 과장된 몸짓을 취했지만 아이들에게는 다정하고자 했다.

한봄을 발견한 아이들 눈이 휘둥그레졌지만 일단 엄마를 따라서 공수했다. "안녕하세요." 하고 인사하려는데 여인이 다급하게 저지했다. "아니야, 인사 안 해도 돼."라며 아이 둘을 우악스럽게 잡아 끌었다. 아이들을 제 등 뒤로 감추며 한예리는 한봄과 그들 사이를 명확하게 갈라놓았다.

자매가 의아한 얼굴로 엄마를 올려다보았다. 아니, 엄밀히 말하자면 자매는 아니었다. 동년배 여아 둘. 도토리 키 재듯 나란히 선 바가지 머리와 더벅머리 중에서, 후자는 처진 눈매가 울적해 보이는 6층 여인을 빼닮았다.

그때 한봄은 바가지 머리와 눈이 마주쳤다. 눈동자가 햄스터처럼 새까만 꼬마였다.

"쳐다보는 거 아니야!"

한예리가 아이의 눈을 가렸다. 그러면서 꼬까옷 입은 제 새끼는 가랑이 사이에 품었다.

그 사이 4층에 멈춰 선 엘리베이터는 서류 가방을 든 중년 남성을 태웠다. 그는 눈가에 검버섯이 드문드문 핀 사내였는데 한봄을 보고는 흠칫 놀라 구석에 비켜섰다.

호기심 많은 햄스터가 그녀를 빤히 구경했다. 한봄이 빙그레 웃으며 허리를 굽혔다.

"너구나!"

그녀는 부러 반갑게 인사했다.

"네가 그 소문의 낭자였어."

들리던 소문이 하나 있었다. 반년 전, 펄랭이 마을을 충격에 빠뜨렸던 '3동 301호 사건'의 유일한 생존자가 일곱 살짜리 여자아이라는 것이었다. 사망한 부모는 보육원에서 함께 자라며 사랑으로 가정까지 일궈냈지만 그들의 자식은 결국 세상에 홀로 남겨졌다.

그렇지만 301호 젊은 부부의 생전 은덕이 자자했는지 아니면 무연고 아동의 사정을 딱하게 여겼는지, 펄랭이 마을 사람들은 아이를 보육원에 보낼 게 아니라 공동육아 형태로 키우자는 데 의견을 모았다. 75세 김옥자가 가장 먼저 행동에 나섰다. 그리고 그녀가 입원한 지금은 6층 엄마가 아이의 대리자 역할을 대직하는 것으로 보였다.

'은덕은 무슨.'

한봄은 속으로 콧방귀를 뀌었다. 측은지심으로 시작한 공동 육아가 언제까지 효력이 있을지 의문이었다. 일단 지자체에서 허락할리 없다고, 뜬소문을 접했을 당시 한봄은 생각했지만 공무원의 레이더망은 변방의 시골까지 뻗지 않았다. 부실한 체계 속에서 가슴만 뜨거운 열정이 도출해낸 합작품이 지금 한봄 앞에 서 있었다.

"이름이 독특했는데."

한봄이 의미심장하게 말했다. 매사에 무신경한 그녀였지만 이 순간만큼은 진심을 다해 아이의 이름을 떠올리려 노력했다.

"알은체 마요!"

한예리가 버럭 소리쳤다. 잇몸을 꽉 깨물며 치를 떨었다.

"어디 짐승같이 부끄러운 줄도 모르고."

한예리가 한봄의 겨드랑이까지 턱을 쳐들었다. 질끈 묶은 머리칼이 대롱대롱 흔들렸다. 그녀는 자신이 예우 차리는 건 여기까지라는 걸 보여주기 위해 주먹을 움켜쥐었다. 덕분에 아이들이 난리였다.

"아줌마, 아파요."

"주요비, 밀지 마!"

"그래."

한봄이 감탄사를 터뜨렸다.

"그런 이름이었지!"

한예리가 경기를 일으키며 제 자식을 나무랐다.

"쓰흡, 이름 말하지 마!"

"왜, 엄마?"

더벅머리 소녀가 엄마에게 물음을 던진 순간 엘리베이터 문이 열렸다. 한예리는 아이들을 다급하게 잡아끌었다. 차도에 정차한 노란 스쿨버스를 향해 잰걸음으로 달려갔다. "저승사자 앞에서 부정 타게 이름 부르는 거 아니야." 하는 희미한 말소리가 복도를 울렸다.

끌려가는 와중에 햄스터가 뒤돌아보았다. 꼬마는 한봄을 바라보며 제 얼굴 위로 큰 동그라미를 빙빙 그렸다. 붕어처럼 입도 뻐끔거렸다. 한봄은 흡사 주술을 거는 듯한 그 행위를 빤히 바라보다가 인기척에 걸음을 물렸다. 중년 남성이 아직 남아 있었다. 사내는 인중을 늘리며 불편한 기색을 숨기지 않았다. 크흠- 하고 기침 소리를 냈다.

"조용조용히 다닙시다. 그리고 그, 귀신 꼴도 좀 어떻게 해보고."

사내가 서류가방으로 한봄의 얼굴을 가렸다. 그제야 그녀는 엘리베이터 한쪽 벽에 붙어 있는 거울을 들여다보았다. 붉은 화장이 눈가 주름에 끼어 뭉쳐 피범벅이었다.

　한봄은 주민이 다 떠난 후에야 엘리베이터에서 내렸다. 빛이 들지 않는 테라초 복도를 걸어 나오자 칼바람이 그녀를 덮쳤다. 세상에 찬기가 가득했다. 얇은 점퍼 하나만 겨우 걸친 몸과 훤히 드러난 발목. 그녀 홀로 겨울의 추위를 가늠하지 못한 차림새였다.

××시 ××면 암곡리 펄랭이 마을.

이곳 풍경은 명확했고 사계절이 완연했다. 여름에 덥고 겨울에 추운, 그야말로 지구의 체온이 오롯이 머물렀다. 고층 건물이 없으니 시야가 확 트여 있었고 달과 태양도 본연의 형태로 지고 떴다.

이 외진 산골에 최근 들어 방문객이 늘었다. 외부인들이 땅을 보러 빈번히 방문했다. 자연 전망을 선호하는 젊은 부자가 산을 깎아 가게를 지었다. 리버뷰는 꽤 먹히는 홍보 수단이었고 주말이면 짬을 내어 찾아온 관광객들로 가게 내부가 북적였다. 평일 밤에는 요란한 굉음이 정적을 뚫었다. 값비싼 차들이 뻥 뚫린 외곽도로를 앞다투어 달리면서 주민들의 새벽잠을 깨웠다. 한봄은 베개 속에 얼굴을 파묻으며 저들의 최후가 고통스럽길, 염라에게 빌었다.

딱 작년 요맘때였다. 한봄은 주차장에 서서 이삿짐센터 차량을 떠나보냈다. 그들이 놓고 간 노끈과 박스를 분리배출하기 위해 경비실 앞으로 걸어갔다. 매운 겨울바람에 어깨가 절로 움츠러졌다. 사지가 덜덜 떨렸고 속눈썹은 고드름처럼 금방이라도 똑 떨어질 것 같았다. 한봄은 어떻게든 체온을 높이고자 팔짱을 끼었다.

"우리 마을 이름이 왜 펄랭이 마을인 줄 아는가?"

대뜸 경비원이 옆에 와 물었다.

한봄은 그를 살폈다. 60대로 보이는 남성은 푸짐한 광대뼈 덕분인지 경비원보다는 빵집 주인이 직업으로 어울렸다. 짧게 깎은 구레나룻이 희끗희끗했다. 군청색 모자는 여기저기 세월에 마모돼 우글쭈글했지만 유니폼만큼은 구김 없이 고왔다.

고향 자랑은 경비원 고 씨의 오래된 취미였다. 한평생 전국 팔도를 떠돌다보니 요상한 사투리가 입에 배었지만 그의 고향 사랑은 한결같았다. 고근섭은 가슴을 죽 펴고 주름진 손을 맞잡아 뒷짐지었다. 160cm 중반을 웃도는 신장. 사내는 한봄과 덩치가 비슷했다.

'익숙해진다는 건 무서운 거야.'

한봄은 잠재의식에 파고든 고정관념을 비난했다. 지난 발령지의 입주민들은 황제를 자처했다. 왕의 발밑에는 백성만 존재하니 경비원은 비굴한 머슴이 되었다. 그들은 왕을 만날 때마다 땅에 물건을 떨어뜨린 사람처럼 고개 숙여 인사해야 했다. 헤픈 웃음은 덤이었다.

한봄은 이따금 청소년을 뒤따라가다가 맞은편에서 걸어오는 경비원의 눈빛에서 망설임을 읽었다. 인사를 할까 말까. 휴대폰에 정신 팔린 애들은 말을 걸어도 무시할 게 뻔하니 경비원은 고개를 돌렸다. 주변 수풀을 살피는 척 입주민을 스쳐 지나갔다.

후우-

그가 내쉰 안도의 한숨이 한봄의 귓가를 스쳤다. 그녀는 낯가림이 심했지만 이날을 계기로 아파트 경비원에게는 꼬박꼬박 먼저 말을 붙였다.

"안녕하세요?"

한봄은 이곳에서도 안부를 물었다.

고근섭은 이때다 싶어 냉큼 이야기보따리를 풀었다.

"우리 마을은 말여잉, 산 두 개에 감겨 있어요. 왼쪽이 흙산, 저기로 보이는 오른쪽이 바위산."

경비원 고 씨가 가까운 산지 쪽을 가리키며 말했다.

"이짝 흙산은 화곡산이라고 하요. 이름도 을마나 예뻐, 화곡산. 저놈 이름은 만암산. 저짝은 기억 안 해도 댜. 우리 마을 것만 외워, 화곡산."

경비원이 남의 동네 것은 신경 끄라며 손을 저었다.

"우리 금수강산 화곡산 올라가믄 깊게 괸 호수가 하나 있는디, 거기서부터 물이 여까정 내려와선 세 갈래로 나뉘진단 말이지."

그는 구불구불한 물길을 표현하기 위해 옆구리까지 비틀며

<hr />

ㄳ

움직였다.

"우리 동네, 네 동네는 구분도 쉬워. 잘 보쇼잉. 저기 있자네, 우리 마을 남쪽 끝에 있는 만적교부터 요, 거시기 뭐다냐, 요, 북쪽 입구에 난 회청교까지가 암곡천 흐르는 우리 마을."

한봄의 시선이 고 씨의 손가락을 따라 이동했다. 그가 언급한 만적교는 육안으로 식별하기 어려웠으나 한봄은 그저 고개를 끄덕였다. 경비원은 어허허- 너털웃음을 지었다. 젊은 처자의 반응이 꽤나 마음에 든 눈치였다.

"그랑께 우리 동니가 왜 펄랭이 마을인 줄 아능가?"

한봄은 희미하게 웃으며 어째서냐고 물었다.

"우리 동니가 말여잉, 봄이면 꽃들이 아주 지천으로 깔려. 근디 말여, 그중에 단연코 최고가 머시냐 허면 바로 펄랭이 꽃이제. 저게 동지가 지나고 가장 먼저 꽃을 피우는 나무여."

경비원이 어떤 가로수를 가리켰다. 잎을 다 떨어뜨린 맨몸의 활엽수가 일정한 간격을 두고 심어져 있었다.

"꽃잎이 여러 겹으로 갈라진 것이 꼭 깔때기 같아가꼬 제비꽃맹키로 퍼렇고 밤에도 이뻐. 추운 강바람 시원하게 불른 팽이 돌듯이 펄렁펄렁 떨어지는데 그게 또 두 번 없을 장관이랑께."

그의 기나긴 설명 끝에 한봄이 대답했다.

"네에."

고근섭이 새로운 입주자를 바라봤다. 그는 일찍이 한봄을 미련한 젊은이로 규정 내렸다. 까만 거적 하나만 걸치고 하얀 목덜미가 붉어지도록 앓는 소리 한 번을 안 내는 것이 그의 눈에는 미련하게 보였다.

그의 생각을 대변하듯 한봄은 턱을 덜덜 떨면서도 자리를 지켰다. 고근섭이 입을 떼려는데 멀리서 바람이 불어왔다.

"오메!"

그는 펄쩍 뛰며 날아가는 모자를 낚아챘다. 너털웃음을 지으며 경비모를 꾹 눌러 썼다.

"이보다 오지게 멋들어진 꽃돌풍이 몰려온단 말이여. 봄이 되기 전에 온 걸 환영하요, 젊은 대리인 양반."

한봄은 광대를 달걀처럼 부풀린 경비원의 얼굴을 바라봤다. 꽃이 만발한 펄렁이 마을을 이미 본 것 같다는 착각이 들었다.

그녀는 머슴처럼 고개 숙여 인사했다.

"잘 부탁드립니다."

한봄은 그 이후로 몇몇 주민과 갈등을 겪었으나 퍽 나쁘지 않은 나날을 보내던 때였다. 경비원 고 씨는 새로 취임한 타지 출신 주민회장 아들의 폭언과 폭행에 못 이겨 어느 보름날, 젊은 대리인에게 전화를 걸어 돌아오는 그믐날에 죽음을 신청했다.

75세 경비원 고근섭은 새로 온 이웃에게 그토록 자랑하던 펄랭이 꽃을 다시 보지 못한 채 저승줄을 탔다.

통화국 대리인이 지켜야 할 수칙은 그리 많지 않다. 물론 세부 사항으로 들어간다면 좀 더 복잡해지겠지만 큰 틀은 이러했다.

일. 통화국 대리인은 전화 연결 중에 근무지를 벗어나지 않는다.

이. 통화국 대리인은 저승의 진실을 생자에게 묘사하지 않는다.

삼. 저승차사는 개인의 판단하에 생자의 죽음에 개입하지 않는다.

수칙 첫 번째에서 말하는 근무지는 개인의 요청에 따라 형태를 달리했다. 통화국 대리인은 저승에서 공무원으로 발탁되면 각자의 경대와 라이터, 가위, 장신구, 사자복 등을 하사받는데 그 외관을 특별히 요청할 수 있었다.

한봄은 자신의 근무지로 전화기 테이블을 골랐고 실타래함을 요청할 때는 사장님께 이렇게 말했다.

"국가무형문화재 칠장이랑 나전장 모두 보유한 장인의 나전칠기로 주십시오."

당당한 주문에 염라가 헛웃음을 켰다. 엄밀히 말하자면 그녀의 부탁은 그리 어려운 축에 들지 않았다. 그녀의 동기, 길강욱은 실타래함을 대충 받는 대신 근무지를 상세히 묘사했다.

"나는 오성급 호텔 침대요. 테이블은 개뿔, 재채기 한 번이면 발 떨어지겠다. 그 자리에서 뒤질 일 있냐. 제 거실은 정글 테마로 꾸며주십시오. 또 저는 물을 좋아하니까 근무지 주변에 금줄 치듯이 웅덩이도 파주시면 좋고."

그는 저승 돈을 물 쓰듯이 썼다.

새빨갛게 타오르던 염라가 불길을 사그라뜨렸다. 불꽃의 색깔이 형형한 푸른빛으로 돌변하자 길강욱이 한봄 뒤로 숨었다. 겁 많은 하룻강아지가 범 앞에서만 왕왕 짖으니 그녀는 좋은 구경거리라고 생각했다.

다행히도 염라는 돈 쓰기에 인색히 굴지 않았다. 저승차사들이 원한다면 이승에선 구경도 못할 물건을 넙죽 안겨주었다. 물론 적합한 대가를 치른다는 조건하에. 저승에서 요구하는 대가란 불 보듯 뻔했다.

어찌 되었든 한봄의 직업 만족도는 상당히 높았다. 그녀는 근무지 1km 이내를 벗어나지 않는다는 조건으로 염라에게 한 가지 은덕을 입었다.

잠 못 드는 억울한 밤이면 한봄은 습관처럼 전화기를 찾았다. 곡선이 완만한 전화 테이블에 척추를 기댔다. 그녀는 무릎을 모아 가슴 앞에 붙이고 손끝과 발끝이 근무지 경계 안에 있는 것을 확인한 후에야 수화기를 집어 들었다. 그것을 귀에 대는 행위만으로도 마음에 안정을 되찾았다.

대리인 번호 01-1009. 한봄의 전화기에 연결된 수신인은 한 사람뿐이었다. 감이 먼 연결음 끝에 남자 목소리가 들려왔다.

여보세요.

"안녕, 잘 잤어?"

한봄이 물었다. 건너편에서 잔잔한 웃음소리가 넘어왔다.

나는 자지 않는다니까.

그가 가벼운 목소리로 타박했다.

한봄은 "그랬지. 미안." 하고 대답했다.

오늘은 뭐 했어?

"평소랑 똑같았어. 근데…… 이렇게 말하면 꼭 평범했던 일이라도 하나 꼽아보라고 할 테니까 고민 좀 해볼게."

한봄이 톡톡- 테이블을 두드리며 일화를 떠올렸다.

"며칠 전에 어떤 아이를 만났어, 엘리베이터에서. 무척 작아서 나중에 어떻게 성인처럼 굵은 몸을 갖게 되는 걸까 싶을 정도였어. 머리카락은 또 어찌나 가늘던지 잔치국수 면처럼 흐물거리더라. 눈도 마주쳤는데 나한테 말을 걸고 싶어 하는 눈치였어."

인상이 보통 예사가 아니었나 보네. 이 정도로 길게 설명하는 건 처음이라 나도 호기심이 생기는걸.

한봄은 아차 싶었다. 그가 서운해하지 않길 바라며 조급하게 덧붙였다.

"다음에 더 자세히 보고 알려줄게요. 눈앞에서 생생히 바라보는 것처럼."

그녀의 말에 사내가 알겠다고 중얼거리고는 의아한 듯 물었다.

그리 눈에 밟히면 말 좀 걸어보지.

"안 돼. 그러면 안 되는 것 같아."

그런 게 어디 있어.

"나만 빼고 다들 그렇게 합의를 봤나 봐."

어른들이? 늘 어른들이 문제네.

"응. 그래서 보란 듯이 그 애한테 말 걸었어."

왜?

"잘해주라고, 그 애한테."

한봄은 돼지 꼬리처럼 말린 전화선을 만지작거렸다.

"그럼 신경을 더 써주겠지."

무슨 말인지 잘 모르겠는데.

사내의 목소리가 작아졌다.

한봄은 고개를 꺾어 천장을 주시했다. 민무늬 벽지를 바라보며 속마음을 털어놓았다.

"그런 말 있잖아. 내부 분란을 막기 위해서는 공공의 적을 만들라고. 백해무익한 감정은 바깥에 쏟아내고 그 속은 인류애로 환기하는 거지."

그냥 그런 거야. 한봄이 나지막이 말을 끌었다.

그녀는 허리를 곧추세우며 그가 어떻게 지내는지를 물었다.

나는 봄이 생각하면서 지냈지.

"거짓말."

정말인걸. 사실 요즘은 시간이 어떻게 흐르는지 모르겠어. 매일이 밤 같기도 하고 어떤 때는 온종일 낮인 것 같기도 해.

"백야 같은 건가."

한봄이 읊조렸다. 그러자 그가 어허, 하고 어린아이 혼내는 소리를 냈다. 한봄이 또 다른 질문을 던지기 전에 목소리를 낮게 깔아 그녀의 호기심을 가로막았다.

산 사람은 몰라도 돼.

"알겠어."

한봄이 겁먹은 목소리로 대답했다. 혹여 사내가 내일부터 걸려오는 전화를 거절할까 봐 마음이 조급해졌다. 문득 1003호의 남자가 떠올랐다. 매일 반송되는 도시락 통을 그는 어떤 마음으로 회수했을까.

한봄은 별안간 희미하게 들리는 종소리에 주변을 둘러봤다.

"무슨 소리 난 것 같은데."

어떤 소리? 지금 주변에 아무도 없는데.

"뭔가…… 아."

왜?

"전화 왔어."

한봄은 바닥에 내려둔 휴대폰을 들여다봤다. 화면에 '길강욱'이라고 떠 있었다. 그녀는 벽시계를 확인했다. 주말은 벌써 오후를 맞이하고 있었다.

"도움 안 되는 놈."

그녀의 혼잣말에 사내가 웃음을 터뜨렸다. 열악한 음질을 뚫고 들려오는 근사한 음성에 한봄은 가슴이 몽글해졌다.

그 수영장 대리인? 하고 그가 묻자 한봄이 작게 웃으며 맞다고 했다.

이만 끊어야겠네.

"아니야, 괜찮아."

일해야지.

맞는 말에 한봄은 입을 다물었다. 오늘은 염라에게 올해의 마지막 4분기 보고서를 제출하는 날이었다. 길강욱은 염라의 면짝이 보기 싫다는 이유로 장장 190km나 되는 거리를 달려 한봄의 집까지 내방했다.

매번 아쉬워.

그가 애틋한 마음을 토로했다.

내일은 또 언제 걸 거야?

사내의 물음에 한봄은 "여기 시간으로 12시쯤."이라고 대답했다.

알겠어. 그럼 내일 봐. 네가 전화를 걸어준다면 나는 그게 내일인 줄 알 거야.

한봄은 일순 대답을 망설였다. 무거운 정적을 뒤로하고 전화를 끊으려는데 부드러운 목소리가 한봄을 옭아맸다.

기다릴게.

길강욱은 기다림이 부족했다. 웬만하면 참지 않던 과거의 성격이 지금까지 이어져왔다. 그는 주차를 마치고 승용차에서 빠져나왔다. 칠이 벗겨진 허름한 아파트를 올려다보며 휴대폰을 들었다. 야금야금 금이 간 아파트 벽면에는 숫자 1이 쓰여 있었다.

한봄은 계속해서 울려대는 전화기에 마음이 급해졌다. 길강욱은 지겹도록 한봄을 재촉했다. 찌릿찌릿 쥐가 오른 종아리를 풀어주기도 전에 그녀는 부지런히 겉옷부터 걸쳤다.

1동 라인 앞이야.

방금 도착한 메시지를 확인하며 슬리퍼를 신었다. 복도에 발을 딛자마자 한봄은 자신의 박복한 인생을 탓했다. 집을 나서자마자 1003호의 대문이 함께 열렸기 때문이었다. 평일 배달만 원칙으로 하는 도시락 통 배달원과 하필이면 주말에 마주친 것이었다.

한봄은 땅만 보고 경보로 걸었다. "저기요오." 하고 새끼 양처럼 가냘픈 울음소리가 그녀를 붙잡았지만 한봄은 재빠르게 엘리베이터에 올라탔다. 그러고는 연속적으로 닫힘 버튼을 눌렀다.

멀리서 오도도도- 하고 맹렬한 발걸음 소리가 들려왔다. 작은 다람쥐가 아몬드를 향해 힘껏 달려오는 모습이 연상됐다. 닫히는 문 틈새로 부르튼 손 하나가 다급하게 끼어들었다.

사내는 식은땀을 흘리고 있었다. 대충 걸친 패딩 사이로 목이 늘어난 흰색 티셔츠가 보였다. 슬쩍 드러난 쇄골이 가녀려 보일 정도로 마른 몸의 사내가 목덜미를 긁적이며 승강기에 탑승했다. 연결 번호 01-1003을 쓰는 사내. 차사 한봄에게는 기피 대상 1호였다.

30대의 직장인, 오시덕은 선한 인상의 사내였다. 그는 사글사글한 눈매를 접으며 어색하게 웃었다.

"안녕하세요, 우연이네요."

한봄은 멀쩍이 비켜서며 대꾸했다.

"그러게요."

오시덕이 힐끗힐끗 한봄을 훔쳐보았다. 눈치 보느라 바쁜 눈동자가 측은지심을 불러일으켰다. 그는 티 나지 않게 숨을 몰아쉬었다. 세밀한 이목구비 군데군데에 연붉은빛이 돌았다. 사내는 소심한 성격 탓에 입술만 물어뜯다가 드디어 한봄에게 말을 붙였다.

"저기, 제가 고구마전을 도시락 통에 넣어서 대리인님 집 앞에 놓아드리고 출근하곤 하는데…… 지금까지 바빠서서 못 보셨겠죠?"

오시덕이 자문자답했다. 뒤통수를 긁으며 어설프게 웃었다. 그는 상처 받기 전에 몸을 사리고 혼나지 않기 위해 미리 최선을 다하는 유형의 사람이었다. 그의 용기에도 불구하고 한봄은 성의 없게 네, 하고 답했다.

"그렇군요."

오시덕이 고개를 떨궜다. 그가 연이어 질문을 던지려는데 엘리베이터 문이 열렸다. 설상가상으로 6층이었다. 한봄은 액운이 든 게 확실하다고 생각했다.

자신을 꺼리는 사람들과 밀폐된 공간에서 보내는 시간은 영겁처럼 길었다. 한봄은 힐끔 시선을 내렸다. 606호 여인이 엉덩이 뒤로 숨긴 혈육 말고 바가지 머리는 보이지 않았다.

그때 오시덕이 다급하게 말을 걸었다.

"저기요, 대리인님!"

그는 기도하듯이 두 손을 모았다.

"왜인지는 알 수 없지만 제가 신청한 전화는 항상……."

"저기요, 01-1003 님."

한봄이 그의 말허리를 끊었다.

"저는 허락 받은 전화만 연결할 뿐입니다."

명확한 이유를 알고 싶다면 통화국 고객센터에 전화하라는 상투적인 답변을 또 끊어먹는 사람이 있었다.

"이봐요."

한예리는 언짢다는 듯 남성을 주시했다. 한봄에게는 시선도 주지 않았다.

"전화 걸지 마요. 죽은 사람 뭐 하러 찾아. 왜 사서 쓴소리를 듣고 있어요, 자격도 안 되는 사람한테."

한예리는 그것만으로는 분이 풀리지 않았는지 구시렁거렸다. 전화비가 말도 안 되게 비싸다, 한 번에 66만 원이 웬 말이냐, 몰상식도 정도가 있지 사람 마음 갖고 하는 돈놀이다, 시민의 고혈을 빨아먹는 버러지라며 나중에는 한봄을 나무랐다.

한봄은 억울함에 사로잡힌 여인 대신 더벅머리 소녀를 내려다보았다. 별다른 뜻은 없었다. 험담이 총알처럼 오가는 전쟁터에 뭣도 모르고 끌려 나온 어린 영혼이 무사하기를 바랐다. 저 작은 머리통을 빙빙- 위성처럼 어지럽히는 악감정이 대물림되지 않기를, 재빨리 흘러가길 기도했다. 그러나 저승차사의 시선을 어찌 해석했는지 한예리는 아이를 품에 숨긴 채 사라졌다.

옆에 선 도시락 통은 어쩔 줄 몰라 했다. 내릴까 말까 주춤

주춤 눈치만 보다가 꾸벅하고 한봄에게 인사했다. 복도를 나서면서도 미련 남은 옛 연인처럼 자꾸만 뒤돌아보았다.

문이 스르륵 하고 닫혔다. 한봄은 그 틈새로 슬리퍼를 끼워 넣었다. 철컹- 부딪치는 소리를 뒤로하고 그녀는 승강기를 빠져나왔다.

눈이 건조했다. 뻑뻑한 시야 너머로 낯익은 인영이 아른거렸다. 사내는 손목에 까만 봉투를 걸고 있었다. 복도를 빠져나오던 한봄은 힐긋 고개만 돌려 우편함을 확인했다. 1009호 안에 봉투 하나가 꽂혀 있었다.

"길강욱."

한봄은 그를 부르고는 바로 몸을 틀어 우편물부터 확인했다. 보낸 곳은 ○○지방경찰청. 우편물은 해당 고소 건이 피고소인의 거주지 관할 검찰로 이송되었다는 내용을 담고 있었다. 수신자는 한봄. 처분 죄명은 자살방조죄였다.

"뭐 봐?"

그새 다가온 길강욱이 한봄의 어깨 너머로 턱을 내밀며 물었다. 그의 눈망울은 항상 소년의 그것처럼 이채를 띠었다.

한봄은 전에 없이 거친 얼굴로 뒤돌아봤다. 그러자 대리인 동기가 함께 울상을 지었다.

"왜 그래?"

한봄이 종이를 들이밀며 말했다.

"나 이웃 갈등 겪고 있나 봐."

저승차사 인생에서 고소장은 처음이었다.

한봄은 도보 블록에 앉아 고소장을 빤히 주시했다. 길강욱
은 불놀이하기 좋은 장소를 모색했다. 휘적휘적 갈지자로 걸으
며 바닥에 떨어진 낙엽이나 종이 쓰레기를 발로 밀어 공간을 확
보했다. 그는 한봄이 처한 상황을 대수롭지 않게 생각했다.

"한두 번 받아봐? 근데 어차피 경찰에 고소장을 접수하든 검
찰청에 직접 보내든 우리는 처벌 안 받잖아."

그의 말에 한봄이 고개를 갸웃했다. 평소에는 매가리 없는
눈동자가 의구심을 품으니 또렷해졌다. 길강욱은 어이없어했다.

"우리 통화국 대리인은 임기 중에 저승의 동의 없이는 체포할
수 없는 불체포 특권을 지녔잖아. 무소불위의, 처벌 불가 대상이
라고."

길강욱이 주머니에서 라이터를 꺼냈다. 뚜껑을 열어 톱니바
퀴로 부싯돌을 긁는 데 1초도 걸리지 않았다.

"이 얼마나 대단한 존재이냐, 우리들이란!"

그는 마치 제 기를 모아 불씨를 태운 것처럼 요사스러운 손
동작으로 관객을 유혹했다. 하지만 한봄은 웃지 않았고 길강욱

은 입맛을 다시며 뚜껑을 딱 소리 나게 닫았다.

"그래도 검찰청까지 넘어갔다니 노력이 가상하네. 짚이는 데 있어?"

길강욱이 물었다.

"쥐도 새도 모르게 내가 담가줘? 뭔데, 이름만 얘기해 봐."

새까만 사자복의 허리끈을 조절하던 그가 눈만 들어 한봄을 바라봤다. 곱상하고 깔끔한 외모와 달리 길강욱은 단어 선택이 거칠었다.

"담그긴 뭘 담가."

한봄은 그 자리에서 거절했다. 길강욱이 세월이 흘러 유순해 보일 뿐이라는 것을 잘 아는 그녀였다. 한봄은 재빨리 통지서를 접어 봉투에 집어넣었다. 길강욱이 한눈판 사이 작게 중얼거렸다.

"너무 많아서 문제지."

사자복에는 주머니가 없어서 한봄은 품 안에 손을 넣었다. 통지서는 보관하고 노란색 종이를 꺼냈다. 그녀를 따라 길강욱도 제 것을 빼냈다.

4절지 크기의 노란색 종이는 다름 아닌 분기 보고서였다. 통화국 대리인이자 저승차사인 공무원들은 관할 지역에 대해 정리한 내용을 분기별로 상부에 올려야 했다. 그 안에는 전화 신청자와 사망자의 수, 18분의 통화 내용뿐만 아니라 각종 경비 지출 명세서와 예의 주시 중인 진상 민원인, 기타 문제점 개선안 같은 세부적인 내용들도 포함되어 있었다. 결과적으로 일 년에 네 번은 직속상관도 아니고 무려 최고경영자인 염라를 마주해야 했다. 그 사실을 안 이후부터 길강욱은 한봄에게 뒷일을 부탁했다. 그의 보고서까지 함께 태워주는 대신에 한봄에게 서울의 유명 숯불구이집 양념장어 세트를 대가로 내놓았다.

"언제까지 이래야겠어?"

한봄이 그를 힐난했다. 그러자 길강욱이 입을 삐죽 내밀었다.

"그래서 이 시골까지 친히 와줬잖아."

서울에서 차로 4시간, 191km를 달려왔다며, 길강욱은 도리어 한봄을 비난했다.

"다음에는 좀 가까운 데로 가."

한봄은 더 들을 가치도 없다는 듯이 고개를 젓고는 얍삽한 동기를 대신해서 보고서에 불을 지폈다. 푸른 불꽃이 불기둥처럼 치솟더니 몇 미터 높이로 튀어 올랐다. 염라의 화마가 아무리 저승의 소유물만 태운다고 하지만 이러니 집에서는 보고를 할 수가 없다고, 저승차사 둘은 생각했다.

도
시
락
통
오
시
덕

당신은 날 얼마나 사랑했어?

"나는 당신 죽…… 아니, 하늘만큼 땅만큼 사랑하지."

죽도록 사랑했다는 말은 안 하네.

"아니야, 우진아. 이렇게 떨어져 있어도 못 잊을 만큼 사랑해."

근데 왜 따라오질 않아. 왜.

왜 대답이 없어.

죽는 게 무서워? 죽을 만큼 사랑했다면서. 침대에서 발 빼봐. 그게 그렇게 어렵니?

"자기는 그믐날만 되면 왜 자꾸 이래. 계속 이러면 나 보름날에도 전화하기 힘들어."

소정아. 내가 미안해, 소정아. 이러면 안 되는 거 잘 아는데 네가 너무 보고 싶단 말이야, 소정아. 너는 나 안 보고 싶어?

"보고 싶지. 그래서 이렇게 전화 받았잖아."

알아, 고맙지. 아는데…….

"자기야, 근데 다른 죽은 사람들은 그믐날에 전화 잘 안 건대. 사실 그렇잖아, 자기가 사랑하는 사람이 살아서 행복하길 바라는 게 당연한 거 아니야? 생자들은 그믐날에 걸려오는 전화를 거절하지도 못하는데, 그러다 자칫 침대에서 발이라도 빠져나가면 한순간에 죽을지도 모르잖아."

알지, 소정이가 나 얼마나 사랑하는지 잘 아는데. 근데…… 우리 아픈 것도 슬픈 것도 함께하기로 했잖아. 빨리 나 보러 와주면 안 돼?

소정아, 나는 너 기다릴 거야. 보름날에 꼭 전화 줘야 해. 안 하면 나는 너 죽는 순간까지 그믐줄 내릴 거니까.

통화는 거기서 마무리되었다. 녹음 내용을 동영상으로 재연한 모니터를 주시하던 사회자가 몸을 틀었다. 카메라 정면을 바라봤다.

"저희는 어렵게 익명 제보자의 협조를 받아 고인이 남긴 마지막 통화 기록을 들어볼 수 있었습니다. 우리는 이쯤에서 의문을 가질 필요가 있습니다. 죽은 사람과 연결해준다는 이 전화줄은 과연 왜, 언제부터 시작되었을까요."

카메라 앵글이 바뀌었다.

"생자가 전화를 거는 보름날과 망자가 전화를 내리는 그믐날. 방금 들려드린 대화 내용을 통해 익히 알 수 있듯이 우리, 산 사람은 그믐날의 전화를 거절할 수 없습니다. 또한 이런 도시 괴담을 한 번쯤은 들어보신 적이 있을 겁니다. '통화 중에 몸이 조금이라도 침대 바깥을 빠져나간다면 영혼이 저승줄에 끌려간다'라는 것 말입니다."

진행자는 손깍지를 끼고는 굳은 얼굴로 앵글을 응시했다.

"하지만 죽은 자는 말이 없으니 우리는 여전히 알 길이 없습니다."

진행자가 몸을 돌리며 손깍지를 풀었다. 조금은 긴장이 풀린 듯 어깨에서 힘을 뺐다.

"저희는 통화국과 인수결위 측에 여러 차례 의문을 제기했지만 명쾌한 답은 들을 수 없었습니다. 다만 기나긴 수소문 끝에 과거 인수결위, 그러니까 인간수명결정위원회에서 일했다던 이모 씨를 만나볼 수 있었습니다."

진행자가 손가락을 치켜들며 시청자의 주의를 끌었다.

"이 모 씨가 들려준 이야기는 아주 놀라웠습니다. 생자가 그믐줄을 타기 위해서는 이승 측의 대표라고 할 수 있는 인수결위의 승인과 저승의 대표인 '누군가'의 허락이 있어야지만 가능하다는 것이었습니다."

화면은 이 모 씨와의 인터뷰 장면으로 넘어갔다.

시사 프로그램을 시청하던 오시덕이 리모컨을 움켜쥐었다. 앙상한 몸은 금방이라도 화면 속에 들어갈 것처럼 앞으로 기울었다. 눈 깜박임은 줄어들고 입술이 벌어졌다. 오시덕은 올챙이처럼 볼록 튀어나온 아랫배가 거슬릴 즈음에야 자세를 바로잡았다.

재방송된 시사 프로그램은 새벽 3시를 조금 넘어서 끝이 났다. 곧 있으면 출근할 시간이었지만 오시덕은 몸을 일으키기는커녕 소파 위로 늘어졌다. 거실 테이블 위에는 몇 주일 동안 쌓인 소주병과 뜯어진 과자 봉투, 휴지 뭉텅이와 여러 크기의 머그가 자리를 채우고 있었다. 집 안 구석구석 숨어 있던 먼지가 이제는 가구 바깥으로 정체를 드러냈다. 마룻바닥 위를 둥둥 떠다녀도 거주자는 청소할 생각이 들지 않았다.

"부럽다. 우리 혜영이는 언제 전화해주려나."

오시덕은 최선을 다해 하루하루를 무기력하게 흘려보냈다. 대체로 박혜영을 떠올리거나 박혜영을 떠올리기 위해 노력했다. 무상한 밤이 비로소 끝이 나면 매정한 아침이 밝아 왔고 오늘 같은 내일을 반복했다. 잠자리에 들지 않으니 새로운 옷을 입을

새가 없었다. 오시덕은 며칠째 같은 와이셔츠 차림으로 부엌에
섰다.

박혜영은 아침잠이 많았다.

"그러니까 아침밥은 예랑이가 해줘."

필연적으로 그런 귀결이 났고 오시덕은 수용했다. 그 대신 예
비 신부는 상다리가 부서지도록 푸짐한 저녁을 약속했다. 박혜
영은 동갑내기 신혼의 진수를 보여주겠다며 각오를 다졌다. 박
혜영은 말을 꺼냈으면 행동으로 지키는 사람이었다.

그녀는 예비 신랑을 열 살짜리 아이 취급했다. 데이트를 할
때면 틈틈이 제 옆에 앉혀 함께 공부했다. 다방면에서 지식욕이
왕성했던 박혜영은 때때로 오시덕을 나무랐다. 그는 딱히 무엇
에도 소유욕을 갖지 않았다. 대신 욕심 많은 여자친구를 묵묵
히 응원했다. 박혜영의 지식 주머니가 볼록해지는 것으로 그는
대리만족을 느꼈다.

오시덕이 서랍장을 열었다. 도시락 통 두 개를 꺼냈다. 파란
색은 박혜영, 노란색은 그의 것이었다. 출근을 앞두고 직장인 오
대리는 정성을 다해 음식을 준비했다. 마치 반찬을 데우는 게
삶의 유일한 목적인 사람처럼 움직였고 숨 쉬었다.

'비나이다 비나이다.'

오시덕은 신께 기도하며 매일 아침 전을 구웠다. 저승 신께

바치는 제물로는 고인이 생전에 가장 좋아했던 고구마전을 택했다. 1층에 흰쌀밥, 2층에는 노란 지짐을 가득 담아 신과 가장 가까운 대리인에게 바친 지도 오늘로 3개월째. 고인도, 신도 응답은 없었고 음식만 싸늘히 식어 잔반으로 돌아왔다.

그래도 신은 존재한다. 그 명확한 사실이 오시덕에게는 희망이었다.

'언젠가 정성이 통할 거야.'

신이 그의 염원을 들어줄 것이라고 굳게 믿은 오시덕은 오늘도 1009호 앞에 제물을 바쳤다.

새로운 거래처에 배포한 정보 보안 시스템이 말썽이었다. 오시덕은 작은 한숨을 내쉬며 자리에서 일어섰다. 코끝을 찌르는 냄새가 쾨쾨했다. 점심시간에 시켜 먹은 도시락 잔향이 눅눅하게 식어 실내에 자리했다.

플라스틱 칸막이로 나뉜 사무실 안은 적막한 듯하면서도 어수선했다. 신경질적인 타자 소리와 업무적인 대화가 간간이 들렸다. 강렬한 흡연 욕구에 손가락을 덜덜 떨던 오시덕이 외투를 걸치는데 옆자리의 한 사원이 엉거주춤 몸을 내밀었다. 할 말이 있는 것인지 서지도 앉지도 못한 채 눈을 끔벅였다.

"아, 아닙니다."

"왜요, 무슨 일인가요?"

오시덕이 패딩 지퍼를 올리며 말했다.

"급한 일은 아니라서…… 저번 달에 출시한 보안 솔루션과 관련된 건데 다녀오시면 여쭈어보겠습니다."

"알겠어요, 나 잠깐 담배만."

"네!"

오시덕은 사무실을 벗어나 비상구 계단으로 향했다. 옥상까지 한 층을 오르기도 전에 바지 주머니 속에서 휴대폰이 울렸다. 어머니였다. 그녀는 매일 오후 2시쯤 오시덕에게 전화를 걸었다. 멍하니 몇 초간, 먼 산을 응시하던 오시덕이 통화 버튼을 눌렀다.

"네. 네네. 잘 지내죠. 어머니는요. 아뇨, 김치는 제발 그만 보내세요. 네, 알아요. 이번 주말에는 꼭 찾아뵐게요. 예? 아뇨, 저는 못 봤는데요. 새벽에 그런 방송을 해요? 아아, 재방송…… 그런 거 보지 말고 일찍일찍 주무세요, 건강에 안 좋아. 아, 전화 안 해요! 안 한다니까 괜한 걱정을 하고 그래. 네네. 나 들어가봐야 해. 끊어요. 네네."

오시덕은 서둘러 통화를 마쳤다. 자식 둔 부모에게 가장 잘 통하는 변명은 바쁜 회사 핑계였다.

요즘 들어 부모님의 간섭이 이만저만이 아니었다. 이번 주는 꼼짝없이 본가 행이라고, 오시덕은 생각했다. 그는 스트레스를 받은 동물원의 북극곰이 그러하듯 같은 자리를 빙빙 돌다가 그 자리에 털썩 눌러앉았다. 입안이 텁텁했다. 겉옷 주머니를 뒤적거리는데 정체 모를 물건이 손에 집혔다. 실내 온풍기에 조금 녹아내린 초콜릿이었다.

오늘 아침 오시덕은 인터폰으로 한 통의 연락을 받았다. 2주 전부터 택배가 가득 쌓여 있으니 어서 가져가라며 경비원이 성화였다. 그가 두 손 가득 택배 박스를 들고는 자가용으로 향하는데 누군가 겉옷을 잡아끌었다. 힐끔- 내려다보니 바가지 머리의 꼬마 아가씨가 그를 올려다보고 있었다. 빨간색 코트를 걸친 그 아이는 오시덕의 골반에 겨우 정수리가 닿을 만큼 키가 작았다.

아이가 손을 내밀었다.

"아저씨, 힘내요!"

오시덕은 영문도 모른 채 허리를 숙였다. 키 작은 산타클로스 앞에 무릎을 굽히자 아이가 뽐내듯이 초콜릿을 보여주었다. 동그란 디저트는 아이의 눈알보다도 컸다.

"이거, 어, 내가 학교에서 발표하고 받은 거예요!"

신이 나 자랑하던 아이가 오시덕의 패딩 속에 초콜릿을 쏘옥 넣어주었다.

오시덕이 울상을 지으며 물었다.

"이거, 나 주는 거야?"

이 귀한 걸 아저씨가 받아도 되느냐는 질문에 아이는 고개를 끄덕였다.

"웅, 아저씨가 더 필요한 것 같아!"

오시덕은 손에 묻은 초콜릿을 핥아 먹으며 양 갈래로 묶인 포장지를 잡아당겼다. 구체가 도르륵- 반 바퀴를 돌면서 모습을 드러냈다. 오시덕은 마법의 물약을 들이켜듯 초콜릿을 한입에 집어삼켰다. 입안에 단내가 퍼졌다. 아무래도 꼬마 산타클로스의 선물에는 복용자를 행복하게 만드는 마법이 깃들어 있었던 모양이다.

오시덕은 담배 생각은 접어두고 계단에 편히 몸을 기댔다. 차가운 칼날 위에 앉은 듯 둔부가 시렸다. 온풍기가 계속해서 건조한 온열을 불어넣는 사무실과 달리 비상계단은 몸이 부르르 떨리도록 추웠다. 몇 달 전에 새로 칠한 회청색 페인트 냄새가 벽면과 바닥에 배어 매캐하게 올라왔다. 어두운 조명 아래에서, 오래된 주황색 점자블록이 유독 눈에 띄었다.

오시덕은 벨트 위로 튀어나온 뱃살을 쳐다봤다. 복부 지방은 서른 넘고 사귄 죽마고우였다. 이제는 밉지도 않은 올챙이배를 의식하며 그는 오랜만에 고요 속에 잠겼다.

그때 비상구 문이 열렸다. 김 사원과 정 사원이 키득거리며 서로의 거리를 좁혔다. 둘은 식곤증이 몰려올 즈음이면 몰래 편의점에서 데이트를 즐기는, 모두가 다 아는 사내 비밀 커플이었다. 오시덕은 재차 박혜영을 떠올렸다. 오붓하게 붙어 있는 남녀는 그들의 연애 시절을 연상케 했다. 그래도 좀 전의 초콜릿 덕분인지 오시덕은 싱겁게 웃어넘겼다.

'좋을 때다.'

그는 아저씨 같은 감탄사를 속으로 삼키며 몸을 벽 쪽으로 바짝 붙여 앉았다. 비밀 연애는 수호해줘야 했다.

김일현은 뜻밖에도 그의 안부를 물었다.

"오 대리님 어떡하냐. 봤어?"

"그러니까요. 옷에 국물 자국 남은 거 선배도 봤어요? 전혀 모르고 계시던데. 어떻게 그럴 수가 있지."

정수정이 걱정되는 목소리로 말했다.

"오 대리님 말이야, 예전에는 이러지 않았어."

김일현이 자극적인 서사를 예고했다. 그는 목소리를 낮게 깔면서 기구한 사연을 풀어내기 전에 성대를 예열했다. 혹시 무슨 일이 있었느냐는 정수정의 물음이 자연스레 뒤따라왔다.

"아, 수정이 너는 들어온 지 얼마 안 돼서 모르는구나. 하아, 이걸 어떻게 말해야 하지. 듣고서 너무 티내진 말고."

"별걱정을 다 해. 그럼요."

정수정은 제 입 걱정은 말고 빨리 이야기보따리나 풀어보라며 남자친구를 재촉했다.

"오 대리님 사실 유부남이잖아. 아니지, '될 뻔했다'는 게 정확한 표현이지. 올해 8월인가에 이전 회사에서 사귄 여자친구랑 결혼한다고 청첩장 다 돌렸었는데, 글쎄 그 예비 신부가 결혼 열흘 놔두고 죽었잖아."

청자는 비극적인 이야기에 화들짝 놀랐다.

"어머, 웬일이야, 어떡해. 원인이 뭐래요?"

방정맞은 정수정의 목소리가 비상구 계단에 울려 퍼졌다. 원하는 반응을 이끌어낸 내레이터는 더욱 큰 긴장감을 주기 위해서 뜸을 들였다.

둘의 목소리가 차츰 멀어졌다. 오시덕은 귀를 닫고 싶은 심정으로 무릎 사이에 고개를 파묻었다. 김일현의 의뭉스러운 목소리에 맞춰 손에 쥐고 있던 초콜릿 포장지를 구겼다.

"묻지마 살인. 심지어 범인은 자살."

예비 신부가 급작스럽게 세상을 떠나고 신혼집에는 오시덕 혼자 남겨졌다. 짝을 잃은 신발 신세라며 주변 사람들은 그를 위로했다.

피해자와 가해자가 모두 사망한 사건. 술에 취해 인사불성이었던 가해자는 그를 피해 자신의 차 안으로 도망친 피해자를 겁박했다. 피해자 박 모 씨의 반항이 심해지자 가해자 조 모 씨는 우발적으로 살인을 저질렀고 인근 산으로 승용차를 몰았다. 경찰 관계자는 가해자가 술기운이 깨자 신세를 비관하며 투신한 것으로 추정된다고 밝혔다. 추측만 난무한 살인 사건. 남겨진 유가족은 싸늘하게 돌아온 주검을 부둥켜안고 목 놓아 울었다.

범인이 죽고 없고 유가족의 슬픔은 남았으니 오시덕은 하소

연할 곳을 찾아 헤맸다. 타인을 미워하기 위해 자신을 일으켰다. 하지만 가해자 조학우는 아무리 주변을 파헤쳐도 오래전 이혼한 전 부인 말고는 이렇다 할 왕래한 주변인이 한 명도 없었다. 오시덕과 평소 알고 지냈던 변호사는 가해자가 조현병 치료를 받고 있었으며 항우울제 처방을 받은 기록이 있었기 때문에 붙잡혀봤자 어차피 심신미약으로 형도 얼마 안 살고 나왔을 거라고 말해 그를 더욱 좌절케 했다.

"얀마. 그나마 혜영 씨 죽음은 언론에라도 나왔지. 그 사람 음주 운전에 치여 죽은 60대 노인이랑 스무 살 청년은 '등' 취급 당하더라. '사건 관련 사망자, 예비 신부 등 3명'이라고."

변호사인 그는 가슴에 차가운 배지를 매단 사람이었다.

사건 이후의 삶은 지옥 같았다. 오시덕은 신혼집에 홀로 뿌리를 내려야 했다. 간섭 없는 육아와 안락한 노후를 위해 결정한 타향살이가 그를 더욱 고립시켰다. 회사 동료를 붙잡고 술주정 부릴 재간도 못 되는 성격 탓에 오시덕은 집이 아닌 나락으로 퇴근했다.

그동안 발 없는 말이 천 리를 달렸다.

"새로 이사 온 총각 말이야. 딱한 사정이 있대!"

시골에서 소문은 빠르게 퍼져나갔다. 언제부터인가 따가운 시선이 오시덕을 쫓았다. 마트에서 장을 볼 때마다 시식 코너 직원들이 득달같이 그를 부르는가 하면 바로 옆집에 사는 청년은 부모님이 시골에서 보내오셨다며 감자나 고구마를 나눠주곤 했다. 오시덕은 시큰한 눈가를 비비며 그들의 온정 앞에 고개를 숙여 보였다.

그날도 오시덕은 악몽에서 깨어났다. 주먹을 꽉 쥔 손이 저릿저릿했다. '그 사건' 이후로 한 번도 걷지 않은 암막 커튼 때문에 침실은 어두웠고 오시덕은 지금이 꿈인지 현실인지 알 수 없었다. 자신이 잠자리를 채집하려 뛰어다니던 소년인지, 면학실에 앉아 윤리 문제를 풀던 학생인지 헷갈렸다. 가물가물한 감각 속에서 그가 비틀거렸다. 주변에 놓인 사물에 의지해 몸을 일으켰다. 후드득 커튼이 찢어졌다. 덕분에 그는 엉덩이부터 마룻바닥에 떨어졌다.

"에이씨."

욕지거리가 터져 나왔다. 오시덕은 둔부를 문지르며 창가로 시선을 돌렸다. 창밖에서 붉은 아지랑이가 실뱀처럼 하늘을 날고 있었다. 그는 깜짝 놀라 창문에 이마를 붙였다. 옆 마을에서 벌어지는 일을 두 눈 크게 뜨고 관찰했다. 빨간 실들이 초승달에서 유성처럼 떨어졌다. 그 신비한 풍경은 오시덕을 도로 세상에 내던졌다.

'전화줄!'

말로만 듣던 전화줄이었다. 오시덕은 흥분했다. 서울 한복 판 빌딩숲에 살았던 그에게 어떤 특정한 조건을 만족해야만 저 승과 연결된다는 전화줄은 시골 괴담과 같은 존재였기 때문이 었다.

바로 다음 날부터 오시덕은 저승에 대한 정보를 캐고 다 녔다.

"초승달? 어제 그거? 줄 내려왔음 그믐달이었겠구먼. 잠깐 뜨 는 달을 또 어떻게 봤대. 그리고 전화줄은 보름날이 전화줄! 이 승줄이라고도 한다는디 그냥 다들 전화줄이라고 해. 그, 어제 내려온 그거는 영혼이 목 매달려서 끌려가는 저승줄이야."

경로원 앞에서 만난 노인이 하늘을 찔러대며 큰 목소리로 말 했다.

"여하튼 우리 마을은 안 되고 펄랭이 마을만 내려온다지, 아 마? 우리도 예전엔 내려왔다는데 저 건물 생긴 이후부터는 없어 졌어."

노인이 턱짓으로 시내를 가리켰다. 낮은 건물들 가운데 우뚝 선 20층 관광호텔이 눈에 들어왔다. 주변에도 비슷한 높이의 신 축 건물이 지어지는 중이었다.

오시덕은 동네 주민들의 말을 바탕으로 전화줄에 대한 정보 를 수집했다. 사흘 밤낮을 새며 통화국 고객센터 홈페이지만 들

여다보고 있으니 끼니는 대충 때우기 일쑤였고, 샤워를 하면서
도 휴대폰을 손에서 놓지 않았다. 한 응급구조대원의 인터뷰 기
사에 따르면 그믐날에 떠난 사람들은 일반적인 죽음에서 볼 수
있는 사후경직, 복부 팽창, 악취 등이 없다고 했다.

　그 덕분인지 동네 노인들은 펄랭이 마을에는 저승사자가 살
기 때문에 죽을 때 그나마 '인간답게' 죽을 수 있는 거라고 믿었
다. 실제로 망자와 통화를 해봤던 사람은 보름날 66만 8백 원만
지불하면 진정 망자와 통화할 수 있다며 그에게 솔깃한 경험담
을 풀어놓았다.

　오시덕은 박혜영을 만날 수 있다는 희망에 들떠 있었다. 그
는 곧바로 집주인에게 계약 해지를 요구했다. 일방적인 통보에
집주인은 노발대발했다. 단순 변심으로 인한 월세 계약 만기 전
의 중도 해지이니 새로운 세입자를 구할 때까지 월세를 부담해
야 하는 것은 물론이고 중개수수료도 당신이 지불해야 한다고
집주인이 엄포를 놓았지만, 아무래도 좋았다.

　펄랭이 마을에서 집 구하는 건 오히려 더 쉬웠다.

　"차사 그분이 사는 곳과 가장 가까운 집으로 보려고 합니다.
근처 아무 데나 주세요."

　금액은 얼마든 상관없는 말에 업자는 순순히 매물을 보여줬

다. 목돈이 넉넉한 임차인은 부동산 중개인을 똥물에도 뛰어들게 만들었다.

1동 1003호에 입주한 뒤로 오시덕은 자신의 신세를 비관하는 것을 멈췄다. 납골당을 찾거나 고인을 기리는 행위도 일절 그만두었다. 그는 곧 성사될 박혜영과의 재회에 집중했다.

처음 그녀에게 전화를 걸었던 보름날, 통화국 대리인이 물었다.

"전화를 연결하시겠습니까?"

전화선을 타고 넘어오는 스산한 목소리에 오시덕이 몸을 부르르 떨었다. 그는 심호흡을 한 번 하고는 연결해달라고 답했다. 생자의 긍정적인 답변에 공무원은 전화줄을 처음 이용하는 고객을 위한 안내사항을 전달했다.

"마음속으로 망자의 이름과 사망 일시, 장소, 그와의 관계를 되도록 자세하게 떠올리는 게 좋습니다."

오시덕은 눈을 감고 박혜영을 떠올렸다. 그녀의 사랑스러운 얼굴, 웨딩드레스를 입었던 어느 날, 쑥스러워 등을 돌리던 모습. 가슴에 새겨진 기일, 9월 16일. 시신 투기가 벌어졌던 근왕산 4코스.

'얼마나 아프고 외로웠을까!'

전화가 연결되기도 전에 오시덕은 울음을 터뜨렸다. 죄인처럼 마음이 괴로워 고개를 떨궜다. 눈물만 뚝뚝 흘렸다.

그날 밤, 1003호의 전화줄은 거절되었다.

보름달을 거듭할수록 오시덕의 뇌리에 박혜영은 죽은 사람으로 또렷이 자리했다. 그믐날에도 망자의 전화는 내려오지 않았고 그는 뭐라도 해야겠다는 심정으로 통화국 대리인의 대문 앞까지 찾아갔다.

저승차사는 핏물 빼낸 소고기처럼 파리했다. 걸음은 귀신처럼 가벼웠고 늘 먼 산을 바라보는 듯했다. 저승차사를 마주한 오시덕은 그녀의 깡마른 다리에 매달려 무릎이라도 꿇겠다는 처음의 포부와 달리, 정기적으로 음식을 바치는 것으로 계획을 전면 수정했다. 이 모든 행위는 박혜영을 만나기 위한 수행 과정일 뿐이라고 그는 굳게 믿었다.

'그래도 10층에 매물이 남아 있던 건 운이 좋았지.'

아니, 진정 운이 좋았다면 이 모든 일은 시작되지 않았겠지. 오시덕은 자신의 섣부른 생각을 지탄했다. 그는 제 신세를 합리화하는 모든 사고방식을 철저히 배제했다. 사람은 사람으로 잊는 거라는 어머니의 잔소리도 사탄의 유혹이나 되는 것처럼 멀리했다.

초등학교 저학년이 삼삼오오 하교하는 정오였다. 갑작스럽게 스쿨버스가 고장난 탓에 차를 탈 수 없게 되자 아이들은 휴대폰을 들었다. 여기저기서 엄마를 찾는 친구들 사이에서 주요비는 홀로 멀뚱히 서 있었다.

담임선생님이 물었다.

"요비는 데리러 올 사람이 있니?"

학교와 펄랭이 마을은 2km쯤 떨어져 있었다. 주요비는 어렴풋이 김옥자를 떠올리고는 선생님의 말에 고개를 끄덕였다.

김옥자는 이따금 학교 앞에 깜짝 등장했다. "자동차 타지 말고 할미랑 걸어가." 하며 뒷짐 진 손을 내밀고는 했다. 나무처럼 꺼슬꺼슬한 손가락을 아이는 좋아했다.

교문을 나선 후에야 주요비는 할머니가 아들네 간다고 했던 사실을 떠올렸다. 김옥자가 잠시 마을을 떠난 사이 아이는 이집 저 집을 전전했지만 씩씩하게 굴었다.

'오늘은 누구네 집이었지?'

힘차게 신발주머니를 돌리며 기억을 더듬던 아이는 어디선가 들려오는 작은 울음소리에 고개를 홱 돌렸다. 교문 근처 대로변에 어떤 남자가 쭈그려 앉아 있었다. 그는 제 물건을 보란 듯이 펼쳐놓고 하굣길 어린이들에게 자랑했다.

"병아리다!"

어떤 아이가 외치자 학생들이 그쪽으로 우르르 달려갔다. 작고 노란 생명체를 구경하고자 몰려들었는데, 물론 그중에는 바가지 머리 주요비도 끼어 있었다. 주요비의 학급 친구, 유지영은 엄마가 왔다며 이내 자리를 떠났다. 병아리 날개를 갖고 놀던 몇몇의 아이들도 금세 싫증을 내고 사라졌다.

주요비가 빈자리를 채웠다. 삐약삐약 우는 노란 솜털 뭉치 쪽으로 조심히 걸어갔다. 남자는 더 가까이서 봐도 된다며 철장을 앞으로 밀었다. 안에는 병아리 대여섯 마리가 있었다. 바닥에 깔아둔 신문지는 동물들이 싼 똥에 젖어 구멍이 송송 뚫렸다.

"동물 좋아해?"

남자는 입은 옷이 남루했다. 모자는 너무 커다래서 표정이 잘 보이지 않았다.

주요비는 고개를 끄덕였다. 부끄러운 듯 엉성하게 웃자 하찮은 윗니가 톡 튀어나왔다. 말랑말랑한 콧대는 아직 다 자라지 않아 동그란 콧구멍을 드러냈다.

"근데 어떡하지."

남자가 불안한 기색으로 좌우를 살피며 말했다.

"아저씨가 이것보다 수십 배는 병아리가 많은데 키워줄 사람이 없어. 우리 요조숙녀가 키워주면 어떨까? 이 불쌍한 것들 죄다 죽일 거야?"

남자가 그늘진 눈가를 꽉 찡그렸다.

덩달아 주요비도 심각해졌다. 공감능력이 뛰어난 아이는 어른 아저씨가 울지 않기를 바랐다.

"저 키울 수 있어요."

확신을 주기 위해 그처럼 눈가를 꽉 찡그렸다. 남자가 누런 이를 드러냈다. 그는 자신의 트럭이 저기 있다면서 골목 가장 깊숙한 곳을 찔렀다. 그러고는 속삭이듯 당부했다.

"옆에 꼭 붙어 와."

골목에는 오늘따라 차량이 많았다. 일방통행 차도에 반대로 들어선 자동차 때문에 길이 꽉 막혔다. 둘은 걷다가 걸음을 멈추고 다시 주춤주춤 걷기를 반복했다.

"니미, 운전 뭣같이 하네."

남자가 중얼거렸다. 아구창을 어떻게 한다든지 가랑이를 가위처럼 벌리겠다는 말에 주변 사람들이 그를 힐끔 쳐다봤다.

그때 주요비는 어떤 여인과 눈이 마주쳤다. 턱에 커다란 점이 있는 여자였다. 동그란 안경을 쓴 그녀는 긴장한 눈빛으로 주요비의 얼굴 구석구석을 살펴보았다. 아이는 잘못이라도 저지른 것처럼 고개를 푹 숙였다. 눈앞에 문어가 먹물을 뿌렸는지 세상이 새까매졌다.

주요비는 몸을 잔뜩 움츠린 채 작은 목소리로 말했다.

"저 학원 가야 해요."

"뭐?"

남자가 펄쩍 뛰며 뒤돌아보았다. 그는 눈을 흡뜨며 손에 쥐고 있던 철장을 내팽개쳤다. 주요비는 너무 놀라 꼼짝을 못하면서도 시선으로 병아리를 살폈다. 잔뜩 수그린 주요비의 머리통 위로 그림자가 지려던 찰나, 삐용삐용- 어디선가 요란한 알람이 울렸다.

남자가 멈칫한 틈을 타 아이는 허겁지겁 철장을 집어 들었다.

"놀랐겠다. 어디 다친 덴 없어? 봐봐."

엄마가 아이를 어르고 달래듯이 주요비는 병아리를 살폈다. 남자는 그새 똥 마려운 공룡처럼 쾅쾅- 발을 구르며 뛰어갔다.

몇 분이 흘렀을까. 아니 고작 몇십 초였을지도 모른다. 주요비는 돌연 벌떡 일어서더니 도로를 질주했다.

"병아리들아, 언니랑 같이 사는 거야!"

철장을 꼬옥 껴안으며 말했다. 언뜻 말을 거는 목소리가 뒤에서 들렸지만 주요비는 앞만 보고 달렸다. 그러다 그만 길을 잃었다.

"분명 여기로 왔는데."

주요비는 갈림길 사이에서 발을 동동 굴렀다. 아이는 하교하는 지름길 여섯 가지를 알고 있었지만 새로운 일곱 번째 길을 맞닥뜨리고 말았다. 설상가상으로 신발 끈이 풀렸다. 아이는 몇 걸음 못 가 제자리에 멈춰 섰다. 빨리 아는 장소에 도착하고 싶었다. 이곳에서는 모자 쓴 아저씨가 언제든 툭 튀어나올 것만 같았다.

아이는 무작정 걸었다. 하얀 신발 끈을 밟지 않기 위해 조심히, 시선을 땅에 떨군 채 한 발 한 발을 내디뎠다. 반복되는 보도블록 문양에 눈이 빙빙 돌던 때였다. 새까만 신발이 시야에 나타났다. 주요비는 술래에게 들킨 것처럼 얼어붙었다.

"꼬마." 하고 부른 것은 여자였다. 그녀는 이것 좀 들어보라며 무언가를 내밀었다. 주요비는 얼떨떨한 표정으로 물건을 건네받았다. 출시된 지 얼마 되지 않은 최신형 휴대폰이었다.

"이놈의 옷은 주머니가 없어."

여인이 구시렁거리며 주요비의 손에서 철장을 조심스럽게 뺏어 바닥에 내려놓았다. 그러고는 한쪽 무릎을 바닥에 꿇어앉았다.

한봄은 느슨해진 운동화 끈을 하나하나 조이며 주요비에게 말했다.

"제대로 된 어른은 어린애한테 부탁하지 않아. 애한테 도움을 청할 정도면 못난이인 게 확실하지. 그러니까 다음부터는 그런 사람이 보이면 냅다 도망쳐."

"언니!"

주요비가 활짝 웃었다. 너무 기쁜 나머지 한봄의 등 위로 냅다 몸을 던지며 공중 부양했다. 한봄이 붕 뜬 허리춤을 낚아채며 아이를 나무랐다.

"언제 봤다고 언니야. 가만히 좀 있어 봐."

그녀의 손이 바느질하듯 운동화의 구멍 사이사이를 왔다 갔다 했다.

정작 주요비는 딴 데 정신이 팔려 있었다. 새까만 소용돌이 정중앙의 하얀 가마. 어른의 정수리를 처음 발견한 아이는 속으로 감탄했다. 뽀얀 두피를 손가락으로 찔러 보려는데 마치 아이의 천진난만함을 눈치 챈 것처럼 한봄이 말했다.

"그거 떨어뜨리면 안 돼. 함부로 쓰면 사장님한테 혼나거든."

한봄이 재차 주의를 주자 주요비가 얌전히 고개를 끄덕였다.

휴대폰 화면에는 112 긴급 신고 어플리케이션이 떠 있었다.

~

겨울은 금세 녹아 메마른 땅을 적셨고 봄이 피어났다.

오시덕은 이제 침대에서 잠들었다. 직장에서 바쁜 하루를 보내고 나면 눈 깜짝할 사이에 주말을 맞이했다. 심심한 저녁이면 동료들과 술안주에 맥주잔을 기울였다. 참 평화로운 삶이라고, 불현듯 깨닫는 밤이면 그는 박혜영에게 용서를 빌었다. 뜬눈으로 참회하고자 소파에 앉아 있어도 어느새 잠들기 일쑤였다.

가끔 어머니가 내려와 차려주시는 집밥은 꿀맛 같았다. 퇴근하고 돌아온 집에 빨래가 잔뜩 널려 있으면 마음이 편안했다. "왔냐." 하고 묻는 아버지의 무뚝뚝한 인사는 아들의 마음을 녹였다.

오시덕은 박혜영이 가끔 그리웠고 그의 삶은 자주 평범했다.

"안녕히 계세요."

작게 던진 인사말이 편의점 유리문에 부딪혀 사라졌다.

새벽 2시의 거리는 고요했다. 배기관을 불법 개조한 이륜차가 간혹 쌩하니 달려갔고 취객이 전봇대에 기대어 섰다. 멀리서 말다툼 소리도 들리는 듯했다. 그는 도로 배수구를 점령한 꽃잎을 따라 걸었다.

이처럼 고요히 상념에 젖어 드는 밤이면 박혜영과 오시덕은 재즈 음악을 듣곤 했다. 어깨와 목덜미를 오붓하게 붙이고 서로의 숨결과 섞인 여자 가수의 기구한 인생에 귀를 기울였다.

'하지만 죽음에 재즈는 어울리지 않잖아.'

울적한 오시덕은 몸에 해로운 편을 택했다. 담뱃갑 포장지를 거칠게 뜯었다. 넓적다리에 상자의 엉덩이를 툭툭 치며 한 개비를 꺼내 물었다.

오시덕의 어머니는 최근 들어 남의 집 귀한 딸내미 사진을 자꾸 내밀었다. 그가 도시락 배달을 그만둔 후부터였다. 아들의 눈치를 살피며 "누구 새로운 사람은 없고?" 하고 넌지시 묻던 때와는 사뭇 분위기가 달랐다.

일주일 전, 강미화는 아예 아들을 붙잡고 식탁으로 불렀다.

"6개월이면 됐어."

그녀는 초상 치르고 이 정도 그리워했으면 보낼 줄도 알아야 한다며 아들을 달랬다. 오시덕이 얼굴을 굳혔지만 강미화는 그간에 하고 싶었던 말들을 쏟아냈다.

"그 와중에 할 도리는 다 했지, 네가. 법적으로 혼인 관계도 인정 못 받는 애가 유가족보다 더 슬퍼하고 피골이 상접해서는. 아유, 말은 못했지만 엄마가 얼마나 안타까웠는데. 이제야 혜영이 남편이 아니라 엄마 착한 아들로 돌아와 준 것 같아서 고맙네."

그날 처음으로 강미화의 착한 아들은 격분했다. 손에 쥐고 있던 휴대폰을 바닥으로 내팽개쳤다.

'왜 그렇게까지 화를 냈지?'

오시덕은 지금도 이유를 몰랐다. 이유를 알고자 딱히 노력하지도 않았다. 그는 목덜미를 긁적이며 복잡한 잔념을 털어냈다. 주머니를 뒤적이며 먼 산을 바라보았다. 시선이 익숙하게 펄랭이 마을 아파트를 스치려는데 복도를 휘적거리는 두 인영이 눈에 들어왔다.

1009호 앞이었다. 오시덕이 못 알아볼 리가 없었다. 그는 고민하지 않고 곧장 1동으로 향했다. 힐끗 올려다본 상황은 좋지 못했다. 언뜻 들렸던 고성이 점점 커졌다. 침입자로 보이는 여인의 삿대질이나 배를 내미는 행동이 그녀가 얼마나 흥분했는지를 나타냈다. 올라가는 엘리베이터 안에서도 옥신각신하는 소리가 들렸다. 이만한 소란에 다들 단잠에서 깨어났을 게 분명하거늘 얼굴 내미는 사람이 하나 없었다.

사람 달려오는 소리에 한봄이 고개를 돌렸다. 오시덕과 시선이 얽혔지만 그녀는 자연스럽게 회피했다. 그녀가 몸에 걸친 옷은 언제나처럼 얇았고 야밤에 걸어오는 싸움마저 방관하는 그녀의 무기력함을 오시덕은 한탄했다. 어느새 봄이 왔는데 그녀 홀로 겨울처럼 서 있었다.

침입자는 6층 아이 엄마였다. 한예리는 예상치 못한 방문객에 놀란 듯 목소리를 줄였다가 구경꾼 따위 상관없다는 듯 다시 역정을 냈다. 그 모습이 마치 마룻바닥에 휴대폰을 내던졌던 제 모습과 겹쳐 보여서 오시덕은 당혹스러웠다.

"애랑 다니지 말라고요! 몇 번을 말해야 알아들어, 여기 너만 살아? 다른 주민들 다 불편하다는데 너는 왜 눈치를 안 봐!"

301호 소녀의 저승차사 사랑은 단지에서도 유명했다. 둘 사이에 어떤 일이 있었는지 모르지만 바가지 머리의 이몽룡이 못된 피가 섞인 성춘향을 쫓아다닌다며 동네 사람들은 그들의 만남을 금단의 사랑처럼 뜯어말렸다. 냉소적인 우리의 성춘향은 침입자가 쏟아내는 폭언을 목석처럼 가만히 듣고만 있었다. 마침내 내놓은 답은 정갈했다.

"인수결위에 연락하세요. 그만 찾아오시고요."

나른한 목소리가 한예리의 화를 부추겼다. 그녀는 이제 저승차사의 머리털만 보여도 화병이 도질 지경이었다.

재작년 가을쯤이었을까. 한예리의 남편은 부쩍 말수가 적어졌다. 외출을 권해도 묵묵부답이었고 안 하던 교태를 부리며 팔짱을 끼어 봐도 이만권은 혼자 있고 싶다며 오히려 화를 냈다.

"말 좀 걸지 마!"

경기를 일으키듯 사지를 바르르 떠는 그를 본 이후로는 한예리도 대화를 시도하지 않았다.

'저러다 말겠지. 금세 미안하다는 표정을 짓고 예전처럼 돌아올 거야.'

그렇게 믿고 기다렸건만 남편은 정말 어처구니없이 세상을 떠났다. 어린 핏덩이만 제게 남긴 채. 침대에서 발견한 이만권은 평안한 표정을 짓고 있었다.

한예리는 분했다. 아등바등 버티는 제 꼴이 우스워졌다.

"누군 이렇게 살고 싶어서 사는 줄 알아? 해준 게 뭐가 있다고 죽길 죽어!"

한예리는 그의 뺨을 세게 내리쳤다. 놀랍게도 아직 미미하게 감도는 온기에 그녀는 비명을 질렀다.

급히 출동한 119 구급대원이 시체를 살피더니 짧게 묵념했다.

"복부 팽창이나 부패가 없는 걸로 봐선 저승줄 타고 가셨네요."

그때까지도 남편이 자연사했다고 믿고 있었던 한예리는 단숨에 1009호로 달려갔다. 벗겨진 슬리퍼가 계단 틈새로 떨어졌다. 잠옷 원피스가 문손잡이에 걸려 늘어졌지만 한예리는 저승사자를 울부짖으며 집이 부서져라 철문을 두드렸다.

마침내 새까만 두루마기를 걸친 한봄이 얼굴을 드러냈다. 한예리는 바로 멱살을 틀어쥐었다.

"네가 죽였지! 네가 내 남편 죽인 거잖아!"

그러나 차사는 이만한 민원에는 면역이 되었다는 듯 쌀쌀맞은 표정으로 "망자의 개인정보 보호를 위해 알려드릴 수 없습니다." 하고 매뉴얼만 읊었다.

죽은 놈 개인정보가 뭐라고. 한예리는 포기하지 않았다. 그녀는 한봄에게서 당신 남편의 목숨줄은 내가 끊은 것이다, 라는 대답을 받아낼 때까지 포기하지 않겠다고 이를 바득바득 갈았다.

다음 달에는 휴대폰 요금 청구서를 증거로 들이밀었다. 누런 종이에는 그믐날의 통화 연결 내역이 보란 듯이 찍혀 있었지만 한봄은 자신의 범죄를 시인하지 않았다. 그저 이만권의 시체보다도 파리한 얼굴로 민원인을 내려다볼 뿐이었다.

한예리는 저승차사에게 매달렸다. 서 있을 힘을 다해 울며 애원했다.

"자살한 게 아니라고 말해! 아니면 네가 죽인 게 맞다고 인정을 하든가!"

그녀의 얼굴은 분노와 죄책감, 피곤으로 점철돼 있었다. 한봄이 한예리의 팔뚝을 움켜쥐었다. 평소 무기력한 이미지와 달리 악력이 다소 강압적이었다. 한봄은 그녀를 강제로 일으켜 세웠다. 그리고 슬픔이 보이지 않는 한예리에게 질문했다.

"당신 말마따나 증거가 있다면서 왜 제게 굳이, 확인 받으려 합니까?"

한봄은 알 수 없다는 듯이 고개를 갸웃했다.

한예리가 눈을 흡떴다.

"쫓아내려고! 당연하잖아, 살인자와 함께 살 수 없으니까!"

핏발 선 눈동자를 바라보던 한봄이 입술을 꽉 깨물었다. 손으로 입을 가리며 고개를 돌렸다.

그녀는 웃고 있었다. 어쩔 수 없다는 듯이, 한예리가 내놓은 답이 우스워 참을 수 없다는 듯이. 저승차사는 허파에 바람이 든 사람처럼 짧게 호흡했다. 한예리는 어떤 민원에도 인상 한 번 찌푸리지 않을 만큼 표정이 귀한 그녀의 희귀한 웃음을 넋을 잃은 채 바라보았다.

한봄이 고개를 가로저었다. 그녀는 제 손에 붙잡힌 사람을 공손히 내려놓으며 한예리가 외면한 진실을 알려주었다.

"살인자가 필요하신 거겠죠, 아니면 당신이 죽인 것 같을 테니까."

죄책감이 한예리를 잡고 끌어내렸다.

"너 같은 건 인간도 아니야!"

한예리가 온몸을 비틀며 소리를 질렀다. 도수 높은 알코올 냄새가 확 퍼졌다. 오시덕은 저도 모르게 오만상을 찌푸렸다. 그가 머뭇거리며 싸움을 말려 보려 했지만 당사자 둘은 오시덕을 없는 사람 취급했다.

"왜 그렇게까지 하는 건가요?"

한봄은 매번 궁금했다. 그녀의 질문에 한예리가 고개를 빳빳이 들었다.

"당연한 거야! 그 어린 핏덩이를 그럼 누가 챙겨. 나라도 챙겨야지."

한예리가 언성을 높였다. 목에 핏대를 세우며 사람의 도리를 설파했다. 오시덕은 차마 무력으로 싸움을 말리진 못한 채 엉거주춤 자리를 지켰다. 누군가 문밖을 내다보진 않는지 주변을 두리번거리며 살폈다.

한봄이 물었다.

"남의 자식을 제 자식처럼 키우는 게 가능하다고 보십니까?"

"안 될 게 뭐야."

한예리가 한 손을 허리에 얹었다. 그녀는 다른 한 손으로 주먹을 불끈 말아 쥐더니 가슴을 퍽퍽 내리쳤다.

"나는 가장으로서 최선을 다해 애를 키우고 있어. 가장은 그런 거야, 힘들다고 제 목숨 끊듯이 쉽게 놓아버리는 그런 게 아니라고. 네년이나 죽은 남편이나 똑같아. 나는 애한테 힘든 티 하나 안 내고 일하고 있어. 밥이랑 살림 혼자 다 하고 요비까지 돌보면서 아등바등 살아가고 있다고!"

저승차사는 입을 다물었다. 한예리가 진정할 때까지 고요히 기다렸고 다시금 그녀에게 질문을 던졌다.

"남편이 없는 게 슬픈 겁니까, 돈이 없어서 억울한 겁니까?"

"그거야 당연히……."

한예리는 밭은 숨을 내뱉었다. 그러고는 말하는 방법을 까먹은 사람처럼 멍하니 한봄을 바라봤다.

"산 사람은 살아야지."

이만권의 장례식을 찾은 문상객들이 넌지시 위로의 말을 건넸다. 한예리의 아주버님이 상주 자리를 지켰다.

'뚫린 입이라고 함부로 말해.'

사별한 부인은 분노가 차올랐다. 그녀는 졸리다며 칭얼대는 아이를 꼭 끌어안았다.

산 사람은 살아야지. 한예리는 그 말이 죽도록 싫었다. 세상사에 지쳐 당장이라도 달려오는 차에 몸을 내던지고 싶은 순간마다 저주처럼 그 말이 떠올랐다.

저주는 어느새 각오가 되었다. 가장이 된 한예리는 함부로 말을 지껄였던 그들에게 보여주기 위해서라도 하나 남은 딸자식과 보란 듯이 잘 살 거라고 다짐했다. 그래서 일어섰다. 우는 것도 체력이 필요했다. 아파하기에는 시간이 부족했다. 한예리는 손가락을 입에 물고 잠든 아이 옆에서 이제는 스스로에게 저주 같은 각오를 했다.

'나는 너를 포기하지 않을 거야.'

이불을 뒤집어쓰고 엄마는 숨죽여 울었다.

그러나 두 사람 입에 풀칠하고 살기에 세상은 호락호락하지 않았다. 가장 먼저 6인승 자가용을 팔았다. 조수석에 앉았던 한예리는 중형 중고차 운전석에 올라탔다. 초보운전 스티커가 후면 유리에 붙었다.

점심은 마트에서 대량 구매한 컵밥이나 즉석식품으로 때웠다. 미트볼 소스에 즉석밥을 말아 먹었고 장조림 캔을 식사 두세 번에 나눠 먹었다. 엄지 뚫린 양말은 기워 신었고 다 쓴 샴푸통에는 물을 부어 마지막 한 방울까지 탈탈 털어 사용했다. 하지만 며칠을 노력했어도 스키장 가고 싶다는 아이의 칭얼거림에 모든 것이 무너져 내렸다.

"그럴 돈이 어디 있어!"

한예리가 울컥 화를 냈다. 큰소리에 놀란 아이가 울음을 터뜨렸다. 아빠의 장례식에서 새까만 옷을 입은 사람들에게 둘러

싸여 있어도 울지 않았던 아이가 서럽다며 통곡을 했다.

"엄마가 미안해. 우리 아가, 미안해."

끌어안고 함께 울었다.

그날 이후로 설이 엄마는 다양한 이유를 들어 마음가짐을 새로 했다. 이제 설이 학교 가니까, 방학이니까, 반장 됐으니까, 백점 맞았으니까, 연말이니까, 연초니까, 생일이니까. 하지만 그것들은 곧 돈이 필요한 명목으로 귀결됐다.

화병이 속을 시꺼멓게 태웠다. 이웃집 엄마들의 도움으로 철지난 초등학생복을 받아온 어느 겨울날에는 부아가 치밀었다. 옷감을 손빨래하던 손등이 새빨갛게 부풀어 올랐다. 볼품없는 몸뚱이가 짜증나서 한예리는 세탁물을 집어던졌다.

'구질구질해. 다 때려치우고 싶어.'

락스 냄새가 갑갑했다. 문득 이러다 질식할지도 모른다는 생각에 그녀는 닫고 있던 욕실 문을 열었다.

어린 것들이 깔깔대며 웃고 있었다. 뭐가 그리도 좋은지. 서로 뒤엉켜 노는데 주요비가 이설 위로 넘어졌다. 쿵- 하는 소리에 엄마가 몸을 일으켰다.

한예리는 고무장갑을 벗어 던졌다. 욕실을 나서며 주요비를 힐난의 눈초리로 노려봤다. 그런데 막상 살펴보니 이설이 도리어 친구의 눈치를 보고 있었다. 그때 주요비가 으앙- 하고 울음을 터뜨렸다. 이설이 사색이 되어 친구의 머리통을 끌어안았다. 잡아당겨서 미안하다고 사과했다.

한예리는 스스로의 머리통을 쥐어박았다. 제 자식만 챙겼던 좀 전의 행동을 비난하면서도, 한편으로는 어쩔 수 없는 일이라는 생각이 들었다.

'남의 자식이 어디 내 자식이랑 같나. 이 정도면 훌륭하지, 없는 살림에 부모 잃은 애까지 키우고.'

사고의 흐름이 마치 그녀의 모든 경제적 궁핍이 애만 놔두고 죽어버린 주요비의 부모 때문이라는 결론에 도달했을 때였다. 이렇게 힘들 바에야 "같이 죽을 만도 해."라고 말해버렸다.

한예리는 자신의 입을 틀어막았다. 귀신이라도 본 것처럼 눈을 동그랗게 뜨고 주둥아리를 움켜쥐었다. 그녀는 너무 놀라 화장실로 도망쳤다. 쾅- 문 닫히는 소리에 주요비가 울음을 그쳤다. 어린 것들은 금세 아픔을 회복하고 시끄럽게 재잘거렸다.

'아니야, 못 들었을 거야.'

한예리는 바닥에 내팽개친 아동복을 집어 들었다. 헝클어진 머리카락을 바짝 끌어다 하나로 묶고 빨랫감을 북북 씻었다.

'나는 절대 안 죽어.'

그녀는 세 번째 저주를 걸었다.

'돈 없다고 자식이랑 동반 자살할 생각은 쥐똥만큼도 없어.'

만취한 여인이 정적 끝에 고개를 들었다. 저승차사는 여전히 무미건조하게 그녀를 내려다보고 있었다. 한예리는 발가벗겨진 기분이었다. 몸을 가누지 못하고 비틀거리다가 그대로 쓰러졌다. 오시덕이 달려와 그녀를 부축했다.

"그래도 산 사람은 살아야지……."

한예리가 목소리를 쥐어짜냈다. 여인의 표정이 괴이쩍었다.

울기 직전에 그녀는 화를 내고 있었다. 주름 사이사이 분노가 차올라 새빨개졌다. 잔뜩 치솟은 미간의 반작용으로 입꼬리가 부들부들 떨렸다. 깡마른 어깨가 들썩이다 결국 울음을 터뜨렸다. 어깨뼈를 안으로 모으며 한예리는 온몸으로 슬퍼했다.

저승차사가 말했다.

"그래요, 산 사람은 살아야죠."

개똥밭에 굴러도 이승이 좋다는데. 한봄은 누에처럼 납작 엎드린 한예리를 바라보았다. 오시덕이 그녀를 부축하며 조심스럽게 발걸음을 뗐다.

그들이 사라질 때까지 한봄은 제자리를 지켰다. 멱살 잡히는 역할을 무사히 끝낸 후에야 집에 돌아와 침대에 몸을 뉘였다. 눈을 감아도 잠은 오지 않았다.

한봄은 세상에서 돈이 가장 싫었다.

깨달음은 한순간에 찾아온다. 쓸모없이 힘 뺐다고 여겼던 경험과 초라한 실패들이 차곡차곡 쌓여 어느 날 성난 파도처럼 몰아치곤 한다.

오시덕은 불현듯 박혜영과의 대화를 떠올렸다.

"각자 다른 사고를 당한 사람들은 못 만난대."

오시덕은 도망치려는 추억의 끈을 붙잡았다. 어느새 희미해진 박혜영의 목소리와 몸동작에 대한 기억들은 무엇이든 간직하고 싶었다.

"그럼 같은 이유로 죽어야 한다는 말이야?"

오시덕의 물음에 박혜영은 입을 다물었다. 그녀는 생각에 잠길 때면 눈을 게슴츠레하게 떴다. 반바지 입은 다리를 소파 앞으로 죽 뻗었다. 그 모습이 마치 노 젓기에 몰두한 카약 선수 같아서 오시덕은 웃음이 나왔다.

"그런 의미는 아니었어. 고인이 보고 싶다고 따라 죽으면 만날 수 없다는 그런 뉘앙스였는데."

나도 당신처럼 서울에서만 살아서 저승줄에 대해서는 잘 모른다며 박혜영이 말을 얼버무렸다. 오시덕은 그렇구나, 하며 그녀 옆으로 몸을 붙였다. 한입 베어 문 하드를 내밀자 박혜영이 순순히 받아먹었다. 오늘은 마마께서 기분이 좋으신 듯했다.

"그럼 전화 걸어줘. 나도 따라가게."

"왜 내가 먼저 죽는다는 전제하에 얘기할까, 우리 오시덕이가."

박혜영은 은근 불쾌하다는 듯이 눈꼬리를 치켜세웠다. 본인이 생각하기에 가장 매운 주먹을 날렸다. 사내는 느릿한 물 주먹을 피해 턱을 치켜들었다. 그러고는 크게 웃으며 "나는 내가 먼저 죽으면 무조건 걸 거니까 그렇지." 하고 말했다. 그는 얇은 눈주름을 몇 겹으로 접으며 현재의 기분을 드러냈다.

"혜영이 너는 그런 정기적이고 귀찮은 일 싫어하잖아. 잘 까먹기도 하고."

남자친구의 변론에 박혜영은 또다시 입을 다물었다. 오시덕의 눈을 뚫어져라 응시하며 "그게 맞는 걸까." 하고 중얼거렸다.

"너는 내 전화 받을 생각은 꿈도 꾸지 마."

이내 그녀의 입에서 흘러나온 단호한 말에 오시덕이 아쉬워하며 이유를 물었다. 박혜영은 어린아이 세수시키듯이 예비 신랑의 뺨을 쓰다듬으며 또박또박 말했다.

"안 할 거니까."

그러니까 이유가 뭐냐고 그가 끈질기게 매달려도 박혜영은 끝내 명확한 까닭을 알려주지 않았다. 오시덕은 "네네, 마마의

말씀 잘 알아들었습니다." 하며 딱 붙어 있던 몸을 떼어냈다. 박
혜영이 그의 엉덩이를 찰싹 때렸다. 빈말 아니니까 허투루 듣지
말라고 해도 오시덕이 이미 소신은 삐쳤다며 몸을 돌렸다.

박혜영은 한다면 하는 성격이었다. 그녀의 생전 말마따나 저
승에서 오시덕을 찾는 그믐줄은 내려오지 않았다.

'산 사람은 살아야지.'

그런 까닭이었을까. 오시덕은 며칠 전의 소란을 떠올렸다.

"고마워요."

6층 여인이 힘없이 인사했다. 어깨에 두르고 있던 남방을 그
에게 돌려주자 오시덕은 말없이 고개를 숙여 보였다.

한예리가 터덜터덜 집으로 들어갔다. 문이 천천히 닫히는 중
에 얼핏 시선이 엉켰다. 찰나에 둘은 암묵적인 동질감을 느꼈다.
오시덕은 뒤돌아섰다. 외투를 팔에 걸치고 발을 떼려는데 그대
로 닫힐 줄 알았던 문이 다시 빼꼼 열렸다.

"어쨌든 나는 애 보고 살아요."

한예리는 겸연쩍지만 그래도 할 말을 끝내겠다는 듯 시선을
맞췄다.

"그쪽도 만들어요, 그런 목숨 줄."

오시덕은 어머니를 떠올렸다.

강미화는 휴대폰이 거실에 추락한 이후로 다시금 말을 아꼈

다. 그의 아버지는 시골 놈에게 부인을 빼앗겼다며 우스갯소리로 문자메시지를 보내곤 했다. 말만 꺼내지 않았을 뿐, 그의 어머니는 결혼 정보 업체로부터 사진을 꾸준히 받아 놓았다. 오시덕은 여러 장의 여성 사진을 안방 화장대에서 어렵지 않게 발견해냈다.

"너를 원망하는 게 아니야."

그 한마디가 듣고 싶어서 고인의 전화를 기다렸던 건지도 모르겠다고, 오시덕은 생각했다. 그리움보다 커진 죄책감 때문에 그는 고인을 놓을 수 없었다.

사랑이 사랑으로 잊힐까. 오시덕은 잊을 수 없다고 확신했다.

'목숨을 걸어도 좋아.'

그렇게 말하면 박혜영은 목숨까지 걸지 않아도 된다고 타박했을 것이다.

잠시 묻어둘 뿐이다. 당장 해일처럼 들이닥치는 오늘을 살기 위해, 고인을 기억 어딘가에 간직하고 뒤돌아보지 못할 정도로 산다는 건 쉬운 일이 아니다. 그러다 문득 그대와의 기억이 수면 위로 떠오르면 반갑게 맞이하면 된다. "잘 지냈어?" 하고 안부를 묻고 또다시 피할 수 없는 시간이 몰아치면 우리는 반대로 흐르는 강물에 올라타 다음 만남을 기약하면 된다. 그렇게 영영 만나는 날까지 흐르고 흘러, 그대는 생전에 경험하지 못한 이야기를 열심히 떠들어보겠다고 오시덕은 생각했다.

그는 오랜만에 내일이 그리워졌다. 오시덕은 수십 장의 사진 중에서 한 장을 꺼내들었다. 박혜영과 가장 닮지 않은 사람이었다.

펄랭이 마을의 터줏대감, 민이 슈퍼 앞에는 아침부터 사람들로 북적였다. 감나무 아래 놓인 평상은 주민들이 하도 앉았다 일어나 모서리가 마모됐고 어린애가 흘린 아이스크림 자국이 그대로 묻어났다.

다행히도 옥자 할매는 건강을 회복했다. 꾸준한 통원 치료 덕에 화려한 복귀를 선언했다. 복대를 찬 김옥자가 슬금슬금 걸어 다니는 모습이 문밖으로 언뜻언뜻 보였다.

아이들은 스쿨버스를 타러 갈 때면 어떻게든 핑계를 만들어 골목에 자리한 슈퍼에 입성했다. 알록달록한 불량식품을 사달라고 조르곤 했다.

오늘 효린 엄마는 아이의 부탁을 흔쾌히 들어주었다. 다른 학부모도 마찬가지였는지 정신없이 떠드는 아이들을 슈퍼 안에 몰아넣고 평상에 나란히 궁둥이를 붙였다.

"그 얘기 들었어요?"

지우 엄마가 입을 뗐다. 그러자 가장 먼저 평상에 앉아 있던 효린 엄마가 손뼉을 짝 치며 속삭였다.

"어제 사고 난 거요? 그럼, 당연히 들었지."

다둥이 아빠가 끼어들었다.

"무슨 일인데요? 저는 어제 집사람이랑 애들하고 캠핑 다녀왔거든요."

효린 엄마는 옳다구나, 무릎을 내려쳤다.

"혜성이 아빠, 아직 소식 못 들었구나. 요 앞에 큰 사고 났잖아, 어제. 아무래도 이번 저승사자 오고 나서부터는 동네가 뒤숭숭해. 사고가 좀 나야지, 벌써 몇 번째야. 그, 애기 키우던 고아 부모 죽었지, 예전에는 설이 엄마 남편도 죽었지. 어제 사고까지 치면 세 번째야, 세 번째."

"큰 사고였나 보네요?"

혜성 아빠는 체면을 지키기 위해 별로 궁금하지 않다는 목소리로 물었다. 그러자 지우 엄마가 손을 저으며 반박했다.

"그렇긴 한데…… 아침에 지역 뉴스 난 거 보니까 교통사고였드만요. 1t 화물 트럭이 그냥 피할 새도 없이 들이받았더라고."

"지우 엄마는."

이번엔 효린 엄마가 손을 저었다. 빨간 원피스를 입은 채 다리를 꼬며 몸을 뒤틀었다.

"세상 물정 모르는 소릴 하고 그래. 그걸 누가 알아? 죽고 싶어서 안 피한 걸 수도 있지."

그러자 치마 레깅스를 입은 지우 엄마가 어머머 놀란 표정을 지었다.

"효린이 엄마야말로 비약이 심한 거 아니에요? 아침부터 만취한 운전사를 만날 줄 누가 알았겠어요. 새벽까지 술 마셔서 뭐, 혈중 알코올이 면허 취소 수준이었다던데."

"누가 다친 건데요?"

혜성 아빠의 물음에 원피스 여인이 1동 아파트를 턱짓으로 가리켰다.

"그, 칼 찔려 죽은 여자 남편."

"결혼은 안 했으니까 남자친구지."

지우 엄마가 콕 집어 말했다. 그녀는 쯧쯧 혀를 차며 죽은 사람을 기렸다. 안 그래도 동네에서 오다가다 마주치면 기운도 없어 보이고 축 처진 게 불쌍했다며, 어쩌면 효린 엄마 말대로 여자친구 쫓아간 걸지도 모르겠다고 그녀는 말했다.

"맞다니까! 따라 죽은 거라니까."

효린 엄마가 제 허벅지를 치며 강력하게 주장했다.

"어휴, 저승사자는 뭐 했나 몰라. 그 사람이 계속 전화 좀 걸게 해달라고, 마주칠 때마다 통사정을 하더니만. 어차피 갈 거고통 없이 가도록 잘 좀 선처하지."

지우 엄마가 맞장구를 쳤다.

"그러니까요, 공무원은 괜히 시켜주나. 난 죽는 건 상관없는데 아프게 죽을까 봐, 그게 제일 무서워. 저놈의 저승사자, 빨리 다른 사람으로 바뀌었으면 좋겠네. 저 여자 온 지 얼마나 됐지요?"

"이제 1년 좀 넘었을걸요."

다둥이 아빠의 말에 두 여인이 난색을 보였다. 다음 저승사자는 좀 사람다웠으면 좋겠다며 핀잔들을 늘어놓았다. 그들의 대화 주제는 금세 비싼 통화 연결 요금으로 넘어갔다. 솔직히 전화 18분에 66만 원은 너무 비싸다. 이왕 하는 거 한 번에 여러 명이랑 연결되면 좋겠다 등등, 건의 사항을 풀어놓았다.

'여편네들. 바라는 것도 많아.'

정작 저승사자 앞에서는 한 마디도 못하면서. 다둥이 아빠는 속마음을 숨기며 일어섰다. 그는 사람 좋아 보이는 미소를 지으며 아들을 데리고 주차장으로 향했다. 여자 둘은 다음에 보자며 손을 흔들었다.

혜성 아빠의 자동차가 아파트 입구를 벗어나자 여인들은 봉인이 풀린 것처럼 혜성 아빠의 이야기로 넘어갔다. 첫째 혜성이를 학교 버스가 아닌 자가용으로 데려다주는 유난스러움이 논점이었다.

사람들은 모든 현상에서 원인을 찾았다. 원인과 결과는 세상을 이해하는 가장 편한 방법이었으며 딱 떨어지는 인과 관계는 사회를 놀라울 만큼 효율적으로 분리했다. 원인을 찾을 수 없다면 원인을 만들었다. 가장 손쉬운 표적은 주로 다수에 속하지 못한, 특이점을 지닌 이였다. 사람들은 무릇 저와 닮은 동족을 몰라봐도 이족은 귀신같이 알아보고 배척했다. 그리고 표적의 피부에 주홍 글씨를 새겨 대대손손 후손에게 주의를 주었다.

"저 괴물에게는 다가가지 마."

다행히도 펄랭이 마을에는 공공연한 적이 살고 있었다. 주홍 글씨가 새겨진 마녀의 집 앞을 도시락 통 들고 서성이던 발걸음 은 뚝- 끊겼다.

신라 화장 길강욱

아직 봄에 머물고 있는 건지 아닌지 알 수 없는 4월이 되었다.

오전이 지나기 전에 1009호에는 손님이 찾아왔다. 한봄을 이름으로 부르는 몇 안 되는 사람이었다.

현재 대리인 번호 82-2012를 사용하는, 관할 구역에서는 말쑥한 대리인으로 통하는 길강욱이 ○○주공 아파트 1동을 올려다보았다. 손목에는 오늘도 검은 봉지가 대롱대롱 매달려 있었다. 그는 지난 분기 때처럼 '라인 앞이야' 하고 문자메시지를 보내려다가 휴대폰을 아래로 내렸다.

"우리 형님 집 구경이나 해볼까?"

그는 서울의 일반적인 상가 건물보다도 낮은 시골 아파트의 최고층을 바라봤다. 저승차사의 집 찾기란 식은 죽 먹기보다 쉬웠다. 동네 주민 누구를 붙잡고 물어도 답을 알려줄 테니.

때 이른 손님의 방문에 한봄은 놀란 눈치였다. 긴 세월을 먹고 살아도 참 순진하다고 길강욱은 생각했다.

"나 들어가도 돼?"

그가 두 팔을 활짝 벌리며 물었다.

한봄은 자신도 모르게 실소했다. 고개를 떨구자 옆머리가 몇 가닥 흘러내렸다. 그녀의 마음이 보슬비처럼 보슬보슬할 때만 보여주는 무방비한 표정을 길강욱은 좋아했다. 한봄은 너까지 허락 맡고 들어올 필요는 없다며 손님 슬리퍼를 제공했다.

"그런 것치고는 집을 너무 안 보여주서서. 나 놀러왔다고 그 양반이 싫어하는 건 아닌가 몰라."

길강욱은 구두를 벗으며 실내를 두리번거렸다. 한봄의 이번 근무지를 구경하는 건 처음이었다.

'여전히 삭막하군.'

그의 주거지가 수영장을 중심으로 화려하게 꾸며놓은 아마존 테마파크라면 한봄의 집은 을씨년스러운 공포 체험장이었다.

"귀신 나올까 무섭다."

그는 엑스자로 꼰 팔을 가슴 위로 덮고 부르르 떨었다.

한봄이 무신경하게 대꾸했다.

"나는 사람이 무서워."

"하긴."

길강욱은 순순히 수긍했다.

그는 앉을만한 곳을 물색하다가 자연스럽게 주방으로 몸을 틀었다. 그래도 사람 구실은 하고 사는지 식탁과 의자는 물론이요, 기본적인 주방 기구가 벽면에 걸려 있었다.

길강욱은 당당하게 커피를 주문했다. 친히 행차하신 그를 위해 한봄이 움직여야 한다는 논리였다. 한봄은 "그러게 누가 오랬어?" 하고 맞받아쳤다. 심통이 난 말투와 다르게 그녀는 이미 커피포트에 수돗물을 담고 있었다. 길강욱이 놀란 눈으로 커피포트는 또 언제 샀느냐고 묻자 그녀는 당연한 듯 "내가 산 거 아니야." 하고 답했다.

한봄이 선반에서 도자기 컵을 꺼냈다. 그 위로 포트를 기울이자 물줄기가 쪼르륵 떨어졌다. 김이 모락모락 피어올랐다.

"으윽, 난 뜨거운 거 질색이야."

길강욱이 질색하며 몸을 뒤로 뺐다. 인중이 짧아지도록 혐오감을 드러냈다. 그가 냉장고 쪽으로 손을 뻗자 한봄이 중얼거렸다.

"얼음 없을 텐데."

길강욱은 이 날씨에 얼음도 없냐며 투덜거렸다. 그는 한봄의 손에서 컵을 뺏어 들었다.

"됐어요, 제가 알아서 아이스로 만들어 먹을게요."

내가 상전을 둘이나 모시고 있지. 1km 바깥으로 나가지도 못하는 놈을 두고 자신이 움직여야지 어쩌겠냐면서 길강욱은 넋두리 같은 혼잣말을 흘려보냈다. 한봄은 제자리에 우두커니 서서 그를 바라봤다. 눈치 보는 아이처럼 눈을 치켜뜨더니 쇄골을 긁적였다. 멀찍이 떨어진 곳에서 커피포트만 만지작거리는 그녀를 보고 길강욱이 긴 한숨을 내쉬었다.

"네가 왜 그런 표정이야."

그가 뒷머리를 거칠게 털어냈다.

"미안해. 내가 실언했다. 어제 그믐날이었잖아."

그래서 조금 예민했다고 길강욱이 사과했다.

한봄은 가만히 고개를 저었다. 틀린 말은 없었으니까.

길강욱은 집을 더 구경시켜달라고 말했지만 그녀의 집은 보이는 게 다였다. 거실과 주방, 잠을 자는 큰방과 작은방이 딸린 허름한 아파트. 그곳에 최소한의 필수품만 들여놓은 것이 한봄의 주거지였다.

그녀는 곧 날이 어두워질 테니 보고서 제출부터 끝마치자고 그를 설득했다. 작은방을 기웃거리는 길강욱을 끌어다 식탁에 앉혔다.

"왜 하필 손 있는 날이냐고!"

길강욱이 한탄했다. 한봄은 운이 나빴다며 잔잔한 말투로 그를 달랬다.

오늘은 이사나 결혼, 개업도 미룬다는 '손 있는 날'이었다. 사람들을 해코지하기 좋아하는 악귀가 서쪽에 머무는 음력 3월의 여섯 번째 날에 그들은 보고서를 제출해야 했다. 두 차사가 운이 나쁜 이유를 꼽자면 저승의 문이 서쪽에서 열렸기 때문이었다.

"분명 알고서 그랬을 거야, 썩을 인간."

아니지, 생각해보니 이미 썩었고 인간도 아니구나. 길강욱은 나비가 넝쿨째 얽힌 경대를 테이블 위에 던지다시피 내려놓았다. 그러고는 바글바글 귀신이 들끓는 저승문만 생각하면 속이 울렁거린다며 위장을 움켜쥐었다. 한봄은 열심히 조잘거리는 참새를 관망했다.

처음 만난 길강욱은 질 나쁜 어린이였다. 자글자글 타버린 앞머리와 그 사이로 얼핏 보이는 눈빛이 반항적이었다. 사내아이는 자신을 둘러싼 모든 상황에 불만과 불신이 가득했다. 이를 얼마나 꽉 깨물고 있었는지 턱 밑에는 주름이 잔다랗게 잡혔다.

지옥에 떨어진 소년은 예전부터 주어진 일에 딴지를 거는 재주가 있었다. 홍화 연지를 눈두덩이에 바르던 길강욱이 허- 하고 짧게 통탄했다. 분을 칠한 얼굴이 하얗게 떠 있었다. 그는 화장을 안 해도 핏기 없이 푸석푸석한 한봄의 면짝을 백설기라고 놀렸다. 정작 자신은 보송보송한 찹쌀떡이 된 사실을 눈치 채지 못했다.

"왜 나만 이렇게까지 해야 하냐고."

길강욱이 불공평하다며 투덜대자 한봄은 어쩔 수 없잖아, 하며 그를 달랬다.

"나는 귀신에게 강하니까. 대신 너는 사람에게 강하잖아."

사람과 귀신, 어느 쪽과도 쉬이 어울리지 못하는 한봄과 달리 길강욱은 오랜 세월 사람 틈바구니에 끼어 살며 사회적 능력을 익혔다. 기가 허해진 것이 흠이었지만. 하지만 수더분해 보이는 그에게 동네 주민들이 쉽게 다가가진 못하는 것처럼 귀신들에게 한봄은 그런 존재였다.

덕분에 그녀는 귀신을 내쫓을 용도로 몸에 과한 치장을 하거나 금붙이를 매달 필요가 없었다. 내키면 실타래함을 열었고 귀찮을 때는 화장을 생략했다. 그러나 길강욱은 온몸에 장신구를 둘러도 운이 나쁜 경우에는 귀신에게 몸을 빼앗겼다.

"대신 나도 오늘은 갓 쓸게."

한봄이 그를 달래기 위해 갓을 집어 들었다. 머리를 높게 쓸어 올리며 말총머리를 했다. 길강욱은 하는 김에 화장도 하라며 그녀에게 붓을 건넸다. 갓만 쓰는 것은 멋있으니까 반칙이라고 말했다.

멋을 따지다니. 초등학생이 따로 없다고, 한봄은 생각했다. 그녀는 제 얼굴을 콕콕 찌르며 그에게 확인시켜주었다.

"했어. 굳이 따지자면 너는 진한 신라 화장, 나는 은은한 백제 화장. 요즘 말로 너는 무대 메이크업, 나는 투명 메이크업."

두 사람은 이상한 실랑이로 시간을 허비했다. 오늘 새벽까지 일한 후유증이었다. 길강욱은 일을 마치고 세수만 한 채 몇백 km를 달려 이곳에 도착했다. 한봄 또한 밀린 보고서를 작성하느라 밤잠을 설친 탓에 정신이 몽롱했다. 과로로 파업을 선언한 대뇌피질이 이성적 판단을 내릴 리 만무했고 둘은 성난 캥거루들처럼 치고받았다.

오전 9시를 조금 넘기기 전에야 두 사람은 공포 영화에 등장할 법한 차림새로 집을 나섰다. 누구에게도 들키지 않고 재빨리 과업을 끝마치려던 차사들에게 주요비의 등장은 예상 밖의 일이었다.

주요비는 606호 초인종을 눌렀다.

"아줌마, 저 왔어요."

"주요비 왔니."

두꺼운 철문 너머에서 목소리가 들렸다. 주요비는 "네에." 하고 염소처럼 떨리는 목소리로 대답했다. 몸이 으슬으슬 떨렸다. 거실 마룻바닥에 깔린 아침 햇살은 분명 따사로워 보였는데, 이제 보니 거짓말쟁이였다.

'단추는 목 끝까지 잠그고 다녀!'

멀리서 옥자 할매의 잔소리가 들리는 듯했다. 주요비는 눈앞에 할매가 있기라도 한 듯 고개를 끄덕였다. 볼록한 머리통을 욱여넣느라 풀어뒀던 셔츠 첫 번째 단추를 채웠다.

606호 현관문이 열렸다. 주요비는 고개 숙여 인사했다.

"안녕하세요."

"안녕? 요비는 오늘도 참 밝네."

한예리가 아이를 반겼다.

주요비는 타인의 성격을 칭찬하는 것이 설이 아줌마의 인사법이라는 것을 얼마 전에 깨달았다. 어른들의 인사법은 다양했다. 어이구, 딱한 것. 학교 가니? 기죽지 말고 학교 열심히 다녀.

배고프면 언니가 음식 나눠줄게 등등. 그들은 선심을 베풀 의지
가 있는 것을 주요비에게 쉬이 드러냈다.

"비밀번호 알려줬잖아. 매번 그렇게 인사하고 들어오지 말고,
내 집이다 생각하고 들어와서 앉아 있어. 설이가 오늘 좀 늦게
일어나서 준비가 늦을 것 같아. 저번에 지영이네 집에서는 잘
잤어?"

한예리는 아이가 어색함을 느끼지 못하도록 끊임없이 대화
거리를 던졌다. 주요비는 무엇부터 대답해야 할지 몰라 고개를
끄덕이다가 급히 가로저었다. 그러고는 "그냥 여기 앉아 있을래
요." 하고 신발장 문턱을 가리켰다. 힘들게 신은 운동화를 다시
신을 엄두가 나질 않았다. 무엇보다 대리인 언니가 묶어준 신발
끈을 고스란히 보존하고 싶었다.

"요비는 의젓하네."

한예리는 금방 끝난다며 잠시만 기다리고 있으라고 말했다.
원하면 TV를 봐도 된다는 허락에 주요비는 고개를 끄덕였다. 안
방으로 사라지는 아줌마를 뒤로하고 아직까지 인사가 없는 친
구에게 소리쳤다.

"설아, 나 왔어!"

하지만 돌아오는 대답은 없었다. 주요비는 입을 꾹 다물었다.
솜털이 보스스 난 볼을 포옥- 하고 꺼트리며 한숨을 내쉬었다.

'아무래도 오래 걸리겠어.'

아이는 도리질을 하며 현관문 턱에 엉덩이를 걸치고 앉았다.

무언가를 기다리는 시간이 주요비는 익숙했다. 반 친구들이 휴대폰 게임에 빠져 있을 때, 주요비는 혼자 할 수 있는 놀거리를 세 가지나 알았다. 만화 주제가를 1절부터 4절까지 속으로 따라 부르거나, 하굣길에 사 먹을 불량식품을 떠올리거나, 항시 주머니에 넣고 다니는 가장 아끼는 돌을 꺼내 시선을 맞췄다. 주요비는 벌써 수백 번은 더 봤을 돌의 표면을 오늘 처음 보는 것처럼 천천히 훑어보며 새로운 흠집을 발견해냈다.

"얘는 짱돌 애기야."

이민하가 말했다.

주요비는 네모난 플라스틱 통 앞에 쪼그려 앉아 엄마를 바라봤다. 여인이 가리킨 몽돌은 짱돌보다 작지만 바둑돌보다는 컸다. "그러니까 바둑돌 언니이기도 한 거지."라는 엄마의 말에 주요비는 고개를 끄덕였다.

이민하는 매년 5월이면 매실로 청을 담갔다. 그녀가 열매의 물기를 제거해 건네주면 주요비는 그것을 갈색 통에 담았다. 꽉 찬 매실 위로 설탕이 눈처럼 내렸다. 이민하가 힘주어 뚜껑을 닫았다. 그 위에 짱돌을 얹자 주요비가 다가왔다. 널찍한 짱돌 위에 아기 몽돌을 올려두며 "아가는 엄마에게 돌려줘야 해."라고 말했다. 이민하는 아이를 끌어안으며 볼을 쓰다듬었다.

'몽돌'이라는 이름은 돌의 출신지에서 따왔다. 주요비네 세 식구는 땀이 등골을 적시는 여름날, 처음으로 가족 여행을 떠났다. 꿉꿉한 자동차 냄새에 헛구역질을 하던 아이는 금세 잠이 들었고 부모는 휴게소에 들를 때마다 아이를 깨웠다. 뜨끈한 감자를 조각 내 주요비의 입에 넣어주었다.

어느 순간 차의 덜컹거림이 멎었다. 까만 어둠 속에서 주요비는 누군가 자신을 부르는 소리에 눈을 떴다.

"요비야. 요비야, 도착했다."

아이는 통통 부은 눈을 들어 창밖을 바라봤다. 주요비보다 나이 많은 언니, 오빠들이 해수욕장을 뛰어다니고 있었다. 쾌활한 소리가 눈앞에서 반짝거렸다. 주요비는 곧장 차 문을 열었다. 벨트에 가로막혀 허우적거리는 딸을 보며 주호진이 웃음을 터뜨렸다.

"샌들부터 신자. 뭐가 그리 급해."

그가 바닥에 떨어진 샌들을 주워 들었다. 아이의 팔을 붙잡고 내려주려던 주호진은 아무래도 안 되겠다며 주요비를 안아 들었다. 주차장 턱이 꽤나 높아 자칫하다간 넘어질 염려가 있었다. 아이는 두꺼운 나뭇가지에 매달리듯 아빠의 목덜미를 꼬옥 껴안았다.

"우리 애기, 아직 졸려?"

주요비는 "으응." 하며 옹알이로 대답했다. 아빠의 목덜미에 뺨을 비볐다. 수염이 따끔따끔했지만 따뜻한 품에 몸을 맡겼다.

그때 데굴데굴- 시원하게 굴러가는 소리가 귓가에 울렸다. 주요비는 볼록한 배를 아빠에게 기대며 상체를 세웠다. 보초 서는 미어캣처럼 주변을 둘러보았다.

"소리 들었어?"

뒤에서 걸어오던 엄마가 물었다.

주요비는 힘차게 대답했다.

"응, 들었어!"

"여기는 몽돌해변이야. 동글동글한 돌이 많다고 해서 지어진 이름인데 원래 뾰족뾰족했던 돌들도 파도 때문에 데구루루 구르다 보면 이런 조약돌이 된다?"

이민하가 모래사장에서 돌 하나를 주워 보여줬다. 파도의 등쌀에 밀려난 돌멩이가 은하수 망토를 두른 듯 홀로 반짝였다.

"반짝반짝해!"

주요비가 외쳤다.

잔뜩 기쁠 때마다 짧은 입가를 잡아먹는 볼때기가 사랑스러웠다. 아이의 부모도 함박웃음을 지었다.

"반짝반짝하지!"

이민하가 신이 나서 물었다.

"요비야, 여기엔 뭐랑 뭐 들어간 거야?"

아이는 요즘 물건이 함유한 성분을 다른 사물에 빗대어 표현하는 것에 빠져 있었다. 예를 들어 창문은 투명 해파리 열 조각으로 만들어졌으며 윤기 나는 검은색 자동차는 간장 한 바가지로 코팅하였고 파란색 장난감 총은 여름 하늘을 크게 잘라 포장지로 두른 것이라고 말했다.

주요비는 한참을 고민하더니 이민하에게 돌을 내밀었다.

"얘는 주요비의 사랑이 들어갔지. 우리 동생 하자. 엄마가 뽀뽀로 살려줘."

아이의 아리따운 표현에 그녀는 주저 없이 몽돌에 입을 맞췄다.

"아빠도 할래!"

주호진이 그들 틈새로 끼어들었다. 아빠가 거침없이 주둥이를 들이밀자 주요비는 수염 난 사람은 안 된다며 근엄하게 거절했다. 주호진은 매정하다며 툴툴거렸다. 자신도 동맹이 필요하니 둘째는 남자애가 좋겠다는 말을 꺼냈다가 이민하에게 등짝을 세게 언어맞았다.

그는 더 혼나기 전에 주요비에게 말을 걸었다.

"그럼 이게 우리 둘째인 거야? 우리 앞으로 더 많이 모아서 대가족 만들어주자."

아이는 고개를 주억였다. 그리고 그만 내려달라며 바동거렸다. 샌들이 다 벗겨져라 다리를 휘저었다. 주호진은 알겠다며 딸내미의 엉덩이를 받쳐 들던 팔에서 힘을 풀었다.

주요비가 기다란 머리를 휘날리며 물에 뛰어들려는데 엄마가 소리쳤다.

"들어가는 건 안 돼! 차 젖어."

"괜찮아. 잘 말리면 티 안 날 거야."

흥분한 이민하를 주호진이 달랬다.

"그래도 위약금 물어줘야 하면 어떡해."

그녀는 걱정스러운 마음에 미간을 찌푸렸다. 남편은 걱정 말라며 아내의 어깨를 끌어안았다.

"괜찮아. 그 돈도 없을까 봐? 우리 첫 여행이잖아."

주요비가 바지를 추켜올리며 뒤돌아봤다. "그럼 나 이제 들어가도 돼?"라고 묻는 아이에게 얌전히 기다렸으니 들어가도 좋다는 허락이 떨어졌다.

주요비는 잰걸음으로 달려갔다. 바다와 맞서 싸우는 용사처럼 투지가 넘쳤다. 아이의 용맹한 전진에 모래알은 흩어지고 파도가 새하얗게 부서져 부드러운 거품을 만들었다.

'시원해. 기분 좋아. 행복해, 행복해.'

몽돌처럼 동그란 감정이 아이를 감쌌다.

"그게 뭐야?"

이설이 끼어들었다. 귀신처럼 고개를 꺾은 아이는 손에 웬 병을 들고 있었다. 그 안에 든 뽀얀 분홍색 액체는 며칠 전 이설이 짱 맛있다며 자랑한 구아바주스였다. 주요비가 "먹어봐도 돼?" 하고 물었지만 이설은 비싼 거라 안 된다고 했다. 바가지머리는 치사했던 그날의 친구처럼 몽돌이를 멀찍이 보여주며 자랑했다.

"이거 내 보물 1호야."

옷방에서 한예리가 스카프를 들고 나왔다. 미끄러지듯 무릎을 꿇고 아이 목에 천을 둘렀다. 얼굴 좀 들어보라는 말에 턱을 치켜든 이설은 눈만 돌려 친구에게 물었다.

"그럼 2호도 있어?"

주요비는 고개를 끄덕였다. 9호까지 동생들이 잔뜩 있다고 알려줬다. 이설은 손에 쥔 컵과 돌멩이를 번갈아보더니 손을 죽 내밀었다. 그러더니 선물 교환을 요구했다. 싫다며 주요비가 단호하게 거절하자 이설이 "원래 소중한 물건을 주고받아야 가장 친한 친구가 되는 거야." 하고 말했다. 제 것도 주겠다며 주스를 내밀었지만 주요비는 마다했다.

이설이 삐죽 부리를 내밀었다. 무엇을 부탁하든 흔쾌히 들어줬던 친구가 고집을 부리자 심술이 났다.

"이게 더 비싼 거야. 유기농 몰라?"

"그래도 안 돼."

주요비는 이제 아예 등까지 돌리고는 돌을 손바닥으로 가렸다.

이설이 아랫입술을 꽉 깨물었다. 두 팔을 번쩍 들어 올리더니 "그거 나 줘!" 하고 소리쳤다. 갑작스러운 반격에 놀란 주요비가 팔꿈치로 이설을 밀쳐냈다. 아이는 악- 하고 비명을 질렀다. 엉덩방아 찧는 소리가 바닥을 크게 울렸다. 다행히 컵은 깨지지 않았다. 이설은 생각보다 미미한 고통에 눈만 끔벅이고 있는데 엄마가 "설아!" 하고 외치자 설움이 몰려왔다. 닭똥 같은 눈물이 우수수 떨어졌다.

한예리는 이설을 감싸 안으며 주요비에게 말했다.

"요비야, 오늘은 먼저 학교 갈래?"

주요비가 멀뚱히 서서 눈치만 보았다. 한예리는 신발주머니까지 손수 챙겨주며 문을 열었다.

"요비 잘못 아니니까 괜찮아. 오늘은 먼저 가자?"

"알겠어요. 죄송해요."

주요비가 훌쩍이며 사과했다. 아줌마 뒤에서 째려보는 이설의 눈빛이 매서웠다.

"미안해."

개미 기어가는 목소리로 사과했지만 친구는 문이 닫히는 순간까지 세모눈으로 주요비를 노려봤다.

이설은 이제 엄마를 나무랐다. 새빨간 코끝에 아이의 억울함이 가득했다.

"엄마는 왜 쟤만 챙겨? 왜 내 편은 안 들어주고 쟤 편만 드는데? 그리고 엄마랑 내 집이지, 왜 쟤한테도 우리 집이래!"

문이 쾅 소리 나게 닫혔다.

주요비는 고개를 떨궜다. 팔만 들어서 엘리베이터 버튼을 눌렀다. 마음이 울적해지기 전에 재빨리 즐거운 것들을 떠올렸다. 손바닥이 새까매지는 공기놀이, 나뭇가지로 운동장을 헤집는 그림 그리기, 지영이랑 둘이서만 몰래 나눠 먹는 젤리. 주요비는 괜찮다고, 스스로에게 되뇌며 일부러 몸을 이리저리 움직였다. 고개를 까딱까딱, 좌우로 원투 스텝, 그렇게 상모 돌리듯 휘청거리다 보면 금세 기분이 나아질 것만 같았다.

엘리베이터 문이 열렸다. 주요비는 껑충 뛰어들려고 했지만 덜컥- 시야를 꽉 채우는 장애물의 등장에 걸음을 가로막혔다. 화들짝 놀라 고개를 들었다. 눈부신 형광등 아래, 갓을 쓴 저승차사 둘이 장승처럼 우뚝 서서 소녀를 내려다보고 있었다. 태어나 처음 보는 광경에 주요비는 눈앞이 핑핑 돌았다.

'아줌마가 인사하지 말라고 했는데.'

고민에 빠진 것도 잠시, 주요비는 우렁차게 인사했다.

"안녕하세요!"

어쩔 수 없었다. 주요비는 대리인 언니만 보면 자꾸만 말을 걸고 싶었다. 마치 공원을 산책하는 누렁이가 반갑고, 모여 있는 참새에게 달려가고 싶은 것과 똑같았다. 주요비는 조금 전의 서러웠던 기억을 금세 콧물처럼 닦아버리고 새까만 눈동자를 반짝였다.

'모자 특이하다.'

주요비는 한봄의 모자를 구경하다가 옆에 선 길강욱과 눈이 마주쳤다. 아저씨는 립스틱을 눈에 칠하는 칠칠맞지 못한 어른이었다. 주요비는 말을 해줘야 하나 말아야 하나 고민에 빠졌다.

사실 아이는 그 무엇보다 둘의 관계가 궁금했다. 얼굴이 하얗고 쌍둥이처럼 똑같이 차려입은 그들의 모습에 소녀는 큰 오해를 품었다.

주요비가 물었다.

"둘이 좋아해요?"

"어이쿠야."

길강욱이 자신의 이마를 콩 찍었다. 그런 말 들으면 아저씨

피가 마른다며 길강욱이 가슴을 움켜쥐었다. 또 그런 생각은 입 밖으로 내선 안 된다고 조심스럽게 경고했다.

"그럼 아저씨는 귀신이에요?"

주요비의 질문에 길강욱이 어허- 하고 허리춤에 양손을 올렸다. 근엄한 표정을 지었지만 위엄은 없었다.

"귀신 안 되려고 이 꼴을 한 건데. 안 죽었어. 오빠 살 만져볼래? 따끈따끈해, 누구랑 다르게."

한봄이 그의 옆구리를 쿡 찔렀다. 길강욱은 동기의 눈치를 보며 능청맞게 넉살을 피웠다. 그 모습이 사이좋은 엄마, 아빠 같아서 주요비는 순간 눈물이 날 뻔했다.

길강욱이 몸을 수그렸다. 아이에게 뺨을 내밀며 빨리 확인해보라고 종용했다. 주요비는 잔뜩 긴장한 채 그의 뺨을 콕 하고 찍었다. 길강욱이 눈밑살을 부풀리며 티 없이 웃었다.

"따뜻해요!"

주요비가 감탄했다.

"그래그래. 이 오빠는 사람이니까."

그런데 주요비는 이상하다며 고개를 갸웃했다.

"사람들은 언니가 죽었을 때 모습 그대로, 어, 그렇게 떠도는 귀신이라고 그랬어요."

아이는 귀동냥으로 수집한 뒷말을 당사자에게 주워 날랐다.

길강욱은 몸을 일으키며 한봄을 바라봤다.

"어이쿠야, 죽었을 때 모습 그대로라면 꽤나 일하기 힘들었겠는데?"

그녀는 동의의 의미로 가볍게 웃음을 흘렸다. 주요비는 한봄의 얼굴에 피다 만 미소를 빤히 바라봤다. 언니가 웃는 건 처음 본다며, 사랑에 빠진 왕자님처럼 얼빠진 표정을 지었다.

주요비의 시선을 느낀 한봄이 크흠- 헛기침으로 목을 가다듬었다. "어린이는 그만 학교 가라." 하고 옆으로 비켜섰다. 그리고는 길강욱에게 그만 가자며 턱짓했다. 길강욱은 1동 라인을 나서는 순간까지 주요비에게 손을 흔들며 인사했다.

"또 보자!"

어두운 복도를 뚫고 터벅터벅 걸어가는 두 사람의 뒷모습이 마치 만화 속 주인공 같다고, 주요비는 생각했다.

길강욱이 구두를 훌훌 벗어 던졌다. 귀신들 때문에 제 명대로 못 살겠다며 터덜터덜 힘없이 걸었다. 그는 한봄을 흘끔 쳐다보고는 "하룻밤만 신세 좀 지겠습니다." 하고 부탁했다. 허리는 반만 수그린 채 고개를 빳빳이 든 모양새가 불량했다.

거실 바닥에 눌러앉은 그를 한봄도 별말 없이 받아들였다. 그녀도, 길강욱도 혼자 있고 싶지 않은 밤이었다. 그믐날은 심적으로 고단했고 저승차사들은 떠난 이를 기리는 데 하루를 온통 소모하곤 했다.

어젯밤의 사망 신청자, 연결 번호 02-0219는 간만에 명랑했다.

"감사합니다."

60대로 보이는 여인이 고개를 숙였다. 그녀는 한봄이 보이지 않을 텐데도 정확하게 방향을 찾아 인사했다.

음력 3월의 그믐날. 저승과 인수결위의 승인을 모두 받은 신청자는 총 세 명이었고 그녀는 그중 마지막 순번이었다. 이명화는 완벽한 어둠 속에서 눈을 깜박였다. 그녀와 마주보고 앉은 저승의 귀인은 흐뭇한 표정으로 곧 죽을 부인을 바라보았다.

저승차사는 눈에 안대를 두르고 있었다. 실타래함 안쪽에 자동차 열쇠처럼 항상 걸어두던 붉은 천이었다. 한봄은 암흑을 꿰뚫어 보는 저승의 끈을 빌려 두 영혼 사이를 주의 깊게 관조했다.

"약속을 지켰어요."

이명화가 세월의 흔적이 묻어나는 얼굴로 웃었다. 부부는 언약식에서 죽음까지 함께하겠다고 약조하였고 오늘 그 다짐은 결실을 맺었다. 중년의 여성은 이미 시댁과 친정에서도 그믐줄 타는 데 동의했다고 한봄에게 일러두었다. 진실인지 아닌지는 알 수 없었다.

마흔 넘어 만나 행복했다고, 이명화가 말했다. 사랑의 결실로 아이를 품에 안는 축복은 내려오지 않았으나 강아지 두 마리를 자식같이 길렀다. 강용섭이 세상을 떠나고 4년 후, 첫째도 무지개다리를 건넜다. 그리고 둘째마저 한 달 전, 열아홉의 나이로 세상을 떠나자 이명화는 그믐날 전화를 신청했다. 당일에도 값만 치르면 연결할 수 있는 보름줄과 달리, 그믐줄은 심사를 받고 통과하는 데까지 최소 일주일이 소요됐기에 미리미리 사망 의사를 밝혀야 했다.

"아닙니다."

한봄은 고맙다는 그녀의 인사를 거절했다. 이게 감사받을 일이던가. 희미한 의문이 가슴을 스쳐 지나갔다.

부부는 어제 본 사람처럼 이야기를 주고받았다. 이명화는 남편의 목소리를 집중해서 듣기 위해 눈을 감았다. 수화기를 볼에 바짝 갖다 댔다. 광대뼈에 자국이 남을 정도로 꾸욱.

"거긴 살만해요? 나도 곧 갈 텐데 무서운 건 싫어."

강용섭이 몸을 앞으로 기울였다. 교도소 면회실에 앉은 죄수처럼 외부인을 반겼다. 기쁜 마음에 손을 뻗으려 하자 한봄이 제지했다. 마흔인지 예순인지 알 수 없는 얼굴의 남자가 서운함을 드러냈다. 저승차사는 그래도 어쩔 수 없다며 고개를 저었다. 망자는 대신, 얼굴이라도 더 가까이 들이밀며 크게 대답했다.

나쁘지 않아. 우리 엄동설한에 고생했던 시절에 비하면 여긴, 아구구, 그, 그렇다고. 하여튼 걱정 말라고!

한봄이 눈을 치켜뜨자 강용섭이 입을 틀어막았다. 저승차사의 눈치를 보았다. 이상한 기운을 감지한 이명화가 호호 웃었다.

"그이가 입이 방정이라, 내가 대신 사과할게요. 그래도 이해해줘요. 지옥 같은 삶도 있는 거잖아요."

그녀가 부드러운 말투로 저승차사를 달랬다.

"정말 이렇게 죽는 게 아닐까 무서워서, 지하 단칸방에서 서로를 꼭 끌어안고 잠들기도 했는데. 그래도 우리 같이 잘 견뎌냈지요? 그건 자랑스러워해도 되는 거야."

이명화가 울먹이며 입술을 깨물었다.

남편이 죽은 다음 달부터 보름이면 꼬박꼬박 전화를 걸었던 여인은 무슨 할 말이 그리도 많은지 40분을 더 이야기 나눈 후에야 준비가 되었다고 저승차사에게 알렸다.

대다수의 사람이 그러했다. 죽겠다고 결단을 내렸음에도 한참을 망설였다. 일생에 딱 한 번 일어나는, 누구의 경험담도 남아 있지 않은 죽음 앞에서 어떤 이는 쉴 새 없이 떠들며 긴장을 풀었고 또 어떤 이는 중압감을 견디다 못해 위장을 다 게워 냈다.

저승차사가 라이터를 집어 들었다. 찰칵- 불붙는 소리에 이명화가 움찔했다. 수화기를 쥔 손이 언제부터인지 바들바들 떨고 있었다.

한봄은 입술을 달싹였다. 그녀는 지금, 명확히 알 수 없는 일에 대해 이야기하는 것을 망설이고 있었다. 입술을 조금 닫았다 다시 열기를 몇 번이나 반복한 한봄은 결국 말을 꺼냈다.

"아프지 않고 무섭지도 않을 겁니다."

이명화는 조금 놀란 눈으로 한봄 쪽을 바라봤다. 작은 목소리로 감사의 뜻을 표했다. 불의 열기 때문에 뺨이 뜨거울 텐데도 그녀는 온화한 미소를 잃지 않았다.

한봄은 자신의 안대 가까이에 라이터를 갖다댔다. 아기자기

한 불꽃이 퐁 하고 등장하더니 천을 태웠다. 불꽃은 그믐줄을 타고 02-0219를 향해 달려갔다. 줄광대가 줄 위를 걷듯 재빨랐다. 작은 정령이 만들어낸 궤적이 생자를 휘감고 어느새 망자에게 도달했다. 저승차사는 화마 속으로 사라지는 두 영혼에게 안녕을 고했다.

"그럼 안녕히."

감사합니다.

죽음 앞에서도 명랑했던 60대 여성의 목소리가 귓가에 울렸다.

한봄은 주변이 환해진 후에야 눈을 떴다. 천장을 멍하니 바라보다 형광등에 눈이 부실 때쯤에야, 수화기를 내려놓았다. 저승줄은 간데없고 실타래함도 텅 비어 있었다.

그녀는 의자에서 발을 내렸다. 다리에 힘이 풀려 그 자리에 그대로 고꾸라졌다.

'시체를 치운다면 나도 같이 치워야 할 거야.'

한봄은 무척추동물처럼 널브러진 자신의 꼴을 비관했다. 그러나 그마저도 허리가 아파 그만두었다.

바깥에는 비가 내리고 있었다. 봄 끝자락에 내리는 단비 소식이었다. 한봄은 유리문에 부딪혀 흘러내리는 빗물을 하염없이 바라봤다.

간밤의 비 때문이었을까. 저녁 공기가 4월치고 차가웠다.

길강욱은 몸을 부르르 떨더니 팔짱을 꼈다. 말없이 창밖을 내다보았다. 저승차사 둘은 식탁 의자를 끌어내 테라스에 나란히 앉았다. 퇴근 시간을 맞아 붐비는 차도 대신 더 머나먼 첩첩산중의 풍경을 바라봤다.

한봄이 의자에서 엉덩이를 뗐다. 아까 들어오는 길에 샀던 맥주를 가지러 가려던 참이었다.

"봄아, 그거 아냐?"

길강욱이 낮은 목소리로 정적을 깼다. 한봄은 그대로 멈춰 섰다.

"그렇게 부르지 마."

그녀가 눈을 흡뜨자 길강욱은 감성이 없다며 그녀를 힐난했다. 그러는 와중에 냉장고 앞에 선 한봄에게 자신은 과일 향이 좋다며 맥주 취향을 밝혔다.

맥주 캔을 건네받은 길강욱이 다시 이야기를 시작했다.

"봄아, 너는 왜 저승줄이 물 흐르고 건물 낮은 지역에만 내려오는 줄 알아?"

한봄은 어깨를 으쓱했다. 차사 되기 전에 배웠던 것 같긴 한데, 그건 갑자기 왜 묻느냐며 의문을 제기했다. 길강욱은 이런 유형에 호기심을 드러내는 성격이 아니었다.

"어쩌다 보니."

어쩌다 보니 궁금해졌다고, 길강욱이 대답했다. 그는 여전히
먼 산을 바라보고 있었다.

한봄은 심드렁한 표정을 지었다. 차분하게 동기를 살펴보다
가 넌지시 물었다.

"왜, 누가 말해줬어?"

"염라가. 염치없이 난 또 그걸 들어버렸네."

길강욱이 어깨를 으쓱했다.

한봄이 눈을 게슴츠레하게 떴다. 염라 얼굴은 보기도 싫다더
니, 시골까지 달려온 자동차가 불쌍하다며 그를 힐난했다. 그러
자 길강욱이 "야!" 하고 소리쳤다. 무릎 위로 맥주 캔을 퍽 하고
내려놓았다.

"아주 예전에 들었다, 기억도 안 나는 꼬꼬마 시절에! 그리고
너는 진짜, 내가 염라 안 보겠다고 여기까지 왔을 것 같냐?"

둔치 같은 게. 사내가 고개를 홱 돌렸다.

한봄도 길강욱이 저를 유독 형제처럼 챙긴다는 것을 알고 있
었다. 겉모습만 순진하게 생긴 이 사내는 자신의 섬세함을 들키
는 날이면 길길이 날뛰었다.

한봄도 그와 마찬가지였다. 흥분한 사람을 다정한 말씨로 다
독이는 재주가 없었기에, 그저 길강욱의 옆구리를 쿡 찔렀다. 그

녀가 할 수 있는 최선의 분위기 전환이었다.

"이유가 뭐였는데? 이젠 나도 기억이 흐릿해서. 이야기 들려 줘 봐."

"슬쩍 넘어가기는. 괜찮겠어……?"

오늘 많이 피곤하지 않았냐고 길강욱이 물었다.

한봄은 고개를 저었다. 살며시 눈을 감으며 부탁했다.

"머릿속으로 그려보게 상세하게 말해줘."

길강욱이 쓸쓸한 미소를 지었다. 달도 보이지 않는 밤하늘을 바라보며 그가 옛날 옛적의 민담을 들려주었다.

예전에 어떤 마을이 있었대. 해안가를 따라 터를 닦은 곳이 있었는데 어느 날부터인가 사람들 얼굴에 반점이 생기기 시작한 거야. 대추만한 반점은 점점 커져 새까매지고 종내 온몸이 괴사 하는 역병이 마을을 덮쳤어.

처음에 사람들은 이를 가벼운 고뿔처럼 여겼대. 한 계절 지나 면 사라질 거라고 생각했는데 그게 아니었던 거지. 불행인지 다 행인지 그 마을에는 조선에서 둘째가라면 서러운 사람들이 몇 있었는데, 대표적으로는 인심 야박하기로 유명한 유 부자 댁과 의술이 뛰어난 의원을 꼽을 수 있었어. 염라가 그랬는데 그 의녀 인가 의원인가가 수도에서 약초 구하러 내려왔다가 지방에 눌러

앉은 케이스라고 하더라고.

여하튼 그 의녀는 의술이 너무 뛰어났던 탓에 온갖 헛소문을 달고 살았어. 하여간 예나 지금이나 마녀사냥질은……. 금수의 사주를 타고 났다. 아니, 지옥의 왕과 정을 통했다더라. 부정을 저지른 여인 때문에 지아비가 그 충격으로 정신을 놓았던 것이 틀림없다고 마을 사람들은 그녀를 손가락질을 했어. 이런 상황에서 여인의 무남독녀 외동딸이 동네에서 따돌림 받는 건 놀라운 일도 아니지?

마을의 소위 높으신 분들은 부정한 계집한테 제 자식을 맡길 수 없다고 떠벌리고 다닌 주제에, 밤이 되면 그 누구보다 먼저 의녀 집 앞에 줄을 섰대. 의녀는 깊은 산중에 살았는데 대감마님을 이고 옮기느라 가마꾼들만 죽어났겠지. 의녀의 딸은 마을 사람들에게 갖은 수모를 당했으면서도 먼 길 오느라 땀을 뻘뻘 흘린 장정들에게 열심히 물을 떠다 바칠 정도로 심성이 고왔대. 그 정성이 기특해서 아이를 마땅찮게 여겼던 양반들마저 마음이 녹아내렸다잖아.

그 와중에도 역병은 부지런히 마을 사람을 죽였고 결국 촌락 어귀에는 금줄이 둘러졌어. 고을 간 왕래도 금지됐지. 그러다보니 사람들은 염치불고하고 의녀를 찾아갔겠지? 의술로는 둘째 가라면 서러운 자라잖아. 계집이니 뭐니 무시하던 것들은 어디

가고 병 걸린 노모, 삼대독자를 둘러업고 사람들이 모여 들었어. 의녀는 성품이 우직하여 재산이나 권력을 따라 움직이지 않았고 당연히 병세가 깊은 사람부터 진료했대. 그 투철한 직업 정신이 높으신 분들의 심기를 건드리고 만 거지!

유 부자 댁 장손이 역병으로 죽고 난 직후였어. 마을에는 언제 생겼을지 모를 괴소문이 일파만파로 퍼져나갔지. 바로 '의녀 집 뒷방에 누워 있는 사내가 사실 지옥 왕이다'라는 거였지. 염라가 인간의 육신을 빌려 우리 마을에 강림해 죽음을 뿌리고 있다는 소식을 들은 사람들은 두려움에 떨었어. 지금껏 의녀 댁을 괴롭히고 핍박했으니 무서운 게 당연지사지.

그때 괴소문이 사실임을 알리는 첫 번째 증인이 등장했어. 의녀가 낳은 독녀의 탄생을 지켜봤다는 무당이었지. 무당 할매는 그 아이 또한 결국에는 지옥 왕의 핏줄이니 더 큰 재앙이 닥치기 전에 목숨을 끊어놓아야 한다고 주장했어. 사람들은 타인을 파괴한다는 강렬한 계획에 동조했고 농기구를 쥔 손에 더욱 힘을 주었어.

두 번째 증인은 뜻밖에도 아이의 아버지였어. 그가 불쑥 토론장에 나타나자 사람들은 경기를 일으켰어. 그 육신에 깃든 염라가 저들을 다 죽일 거라는 생각에 혼비백산이 되어 사방으로 흩어졌지. 정신이 온전치 않다던 사내가 그날따라 총기 있게 눈을 빛내며 목이 터져라 외쳤어. 제 딸년 때문에 집안의 대가 끊겼다고, 자신이 잘못한 게 아니라 저 날짐승 같은 것이 남아의 탄생을 가로막았다고 절규했어.

아니, 근데! 애가 무슨 잘못이야. 예전에는 남아선호사상 뭐, 그런 것 때문에 그랬냐? 나 참. 평소에는 허튼소리 한다며 혀를 차던 거민들이 돌연 그의 말에 귀를 기울였어. 시름에 잠겼던 마을은 아이러니하게도 오랜만에 활기를 되찾았어. 눈 먼 분노를 받아낼 제물이 결정 났으니 말이야.

지옥 왕과 정을 통하고 그의 자식을 낳은 죄로 의녀의 목이 잘려 나갔어. 남편과 그의 독녀는 바로 옆에서 처형식을 목도했겠지.

칼날의 끝이 여자아이를 가리켰을 때였어. 하늘이 삽시에 어두워졌는데……. 뒤에는 무슨 이야기가 나올지 예측 가능하지? 하늘은 마치 이 쓰레기 같은 상황을 노여워하듯이 큰 번개를 내리쳤어. 이럴 때 보면 신이 존재하는 것 같더라니까?

아니다, 신은 없는 것 같아. 내 말은 무시해.

멍청하게도 마을 사람들은 이 또한 지나가리라 믿었어. 인간은 언제나 자신이 믿고 싶은 대로 믿잖아. 하지만 산꼭대기부터 시작한 산사태가 거센 흙바람을 일으키며 무서운 속도로 마을을 집어삼켰어. 거민들은 순식간에 압사했고 집채는 풍비박산이 났지. 그때 마치 역경에 빠진 주인공을 구원하듯이, 아이와 아비가 엎드려 있던 땅만 큰 조각처럼 떨어져 나와 거친 풍랑에 올라탔대. 가혹한 시련의 파도에 올라타 흘러내려간 끝에 옆 마을에 도착할 수 있었어.

아이는 옆 마을 사람들에게 울면서 소리쳤어.

"도와주세요! 큰 번개가 산을 무너뜨리더니 바다가 호랑이처럼 마을을 꿀꺽 삼켰어요!"

"다른 사람들은 어디에 있니?"

누군가 물었지만 아이는 도리질했어. 눈물을 뚝뚝 흘리면서 모두가 죽었다고 말했지. 그러나 그 누구도 아이의 말을 믿어주지 않았어. 아무리 산이 무너지고 바다가 사납기로서니 땅이 찢어진 천 조각마냥 떠내려올 수가 없다는 거야! 제가 아는 게 세상의 전부인 줄 아는 아둔한 놈들.

그런데 그곳에는 아이가 사는 마을에 금줄이 쳐진다는 소식을 듣고 그날 밤중에 도망친 포졸이 숨어 있었어. 그가 모여 있는 사람들을 헤집고 나와 당당히 밝혔지. 저 계집이 사실 지옥왕의 자식이며 이곳에 발을 디딘 이상 저주를 피해 갈 수 없을 거라고 호언장담을 한 거야.

그때부터 돌팔매질이 시작됐어. 포도청에서 심문을 받기도 전에 죄질이 나쁘다는 이유로 그 자리에서 하염없이, 하염없이,

돌무덤이 쌓일 때까지. 아이는 천생이 무르고 사람을 좋아해서 그 모진 핍박을 받았으면서도 아빠를 꼭 끌어안고 보호했대.

야, 봄아. 이 정도면 영혼이 잘못 배달된 거 아니냐? 천국에 가야 하는데 인간 세계에 떨어진 거 아니냐고.

이제 아이가 기댈 곳은 한 군데뿐이었어. 바보같이 착한 아이는 제 어미가 지옥 왕과 친하다는 풍문을 믿고 염라에게 아버지를 살려달라고 땅에 엎드려 간청했대.

염라 입장에서 얼마나 웃긴 일이야. 제 옥좌에 앉아 비웃었겠지, 그 성격에. 하지만 아이를 몽둥이로 내리치는 데 아무런 죄책감이 없는 수십 어른의 행태가 꼭 배고픔에 굶주린 아귀와 다를 바가 없다 하여 제5지옥의 염라대왕은 그들을 지옥으로 끌어내리기로 결정을 내렸어. 그리고 뭐 겸사겸사 꼬맹이의 억울한 누명을 풀어주기 위해서 증인들의 목소리를 줄에 매달아 내렸는데, 의뭉스러운 점이 뭔 줄 알아? 그 꼬마를 돕겠다고 그 꼬마를 죽이려 한 동네 사람들의 영혼들을 내려보냈다는 거야.

말이 돼? 지금으로 따지면 학교폭력 가해자에게 피해자의 평소 행실에 대해 묻는 거랑 똑같은 거야! 무슨 속셈이었는지, 그 능구렁이 같은 노인네.

아무튼 보름달에서 뜬금없이 끈 같은 생긴 줄이 내려오는데 그 시절 사람들이 얼마나 놀랐겠냐? 지금도 할매, 할배들은 전화줄 보고 기절하기도 하는데. 보름줄이 땅에 닿자 망자들의 억울한 목소리가 천지사방을 울렸어. 누군가는 천벌을 피해보겠다며 숲으로 도망쳤고 어떤 이는 땅을 파서 고개를 숨겼대.

기상천외한 일 앞에서 인간들이란 언제나 창조적인 상상력을 발휘하는 거 알지? 그들은 이 상황을 머리로는 이해할 수 없지만 왠지 내가 안전할 것만 같다는, 근거 없는 자기 합리화를 하기 시작했어. "우리를 이롭게 해줄 동아줄이 하늘에서 내려왔다."라고 말이야.

마을 사람이 반신반의하며 하나둘씩 줄을 잡았어. 근데 그럴 리가 있나. 망자의 목소리가 머릿속을 헤집은 후에야 깨달은 거야. 이건 구원이 아니라 악몽이라는 것을. 뜬소문에 사람을 죽이려 했던 그들이 뜬소문 때문에 스스로를 죽이게 생긴 거야. 인과응보의 완벽한 결과였지.

그믐날이 되자 더 많은 동아줄이 내려왔대. 생자에게 앙심을 품은 망자가 목소리 높여 저주를 퍼부었지. 마을의 노모는 저들이 피 말려 죽인, 이제는 열녀가 된 며늘아기의 원한을 피할 수 없어서 흰 천으로 머리를 싸맸어. 지금이야 이사가 쉽지만 씨족 사회였던 그때는 야반도주도 마땅치 않았던 거지. 아버지의 비밀스러운 사주에 머리가 깨지고 호랑이 밥이 된 사생아들도 억울하다며 아우성을 쳤지. 이런 개판이 또 있을까.

그 와중에 망자와 대화하는 마을이 있다는 소문이 방방곡곡 삽시에 퍼져나갔어. 이런 재미를 놓칠 수 없는 호사꾼들이 전국각지에서 몰려왔고 마을 인근 주막은 금세 사람들로 꽉 찼지. 호기심에 몰려온 자도 있었고 돈 좀 벌어보겠다는 상인들이 판을 벌려 그새 가짜 전화줄로 연극을 벌이기도 했대. 그러는 사이에 이 모든 사건의 시작인 아이의 존재는 금세 뒷전으로 밀려나 잊혀갔지.

생각을 해봐. 보름부터 그믐이면, 최소 열흘이야. 그 시간 동안 아이와 아비는 돌팔매로 만든 돌무덤에 깔려 방치됐어. 거민 절반이 죽고 나서야 누군가 독녀를 떠올렸고 사람들은 혹시나 하는 마음에 무덤 앞에서 빌었대. 들꽃으로 돌무덤 주변을 정성스럽게 두르며 망자의 노여움을 풀어달라고 아이에게 무릎 꿇고 애원했어.

난 이런 미적지근한 결말을 진짜 혐오하는데, 사람들이 용서를 구하고 사인의 명복을 빌어주자 저승줄은 연기처럼 사라졌다고 해. 근데 야, 고작 꽃 정도에 풀릴 화야, 그게? 나라면 부관참시까지 한다고 해도 용서가 안 될 거야.

말을 마친 길강욱이 한봄을 노려보았다. 마치 원수를 눈앞에 둔 사람처럼 그녀를 뚫어져라 직시했다. 민담은 길었고 발화

자는 짬짬이 맥주를 챙겨 마신 탓에 볼을 불그스름하게 물들였다. 한봄은 불타오르는 눈길을 피해 고개를 돌렸다.

"근데 참 아이러니하게도 아이가 죽은 이유가 뭔 줄 아냐?"

길강욱은 시간을 끌지 않았다. 애초에 한봄의 대답을 듣고자 한 말이 아니었다.

"탈수였대. 다른 이유도 아니고 목이 말라 죽었다고. 염라가 말하기를! 그 와중에 불쌍한 독녀에게 물을 주겠다고 동네의 착한 꼬맹이가 손바닥에 물을 받아줬는데, 아비라는 사람이 그걸 탐내서 뺏어 먹었다잖아. 그 애는 분노라는 게 없는 거야?"

길강욱이 말을 뚝뚝 끊으며 분노했다. 아무리 극악무도한 염라라도 화가 날 만하다며 웬일로 저승 왕의 편을 들었다. 길강욱은 듣기만 해도 분통이 터신다며 가슴을 두들기고 이를 꽉 깨물었다.

극악무도한 염라는 그렇게, 목이 말라 죽은 아이의 순진한 목숨을 거두어들였다. 이미 한 번 시작된 보름줄과 그믐줄은 회수할 수 없었고 저승 왕은 그 가용 범위를 줄이기 위해 절대 조건을 공언하였다.

'인간의 욕심이 하늘에 미치지 않으며 한 아이가 마음껏 목을 축일 수 있는 곳에서만 저승과 연결될 수 있으리라.'

이후 생자와 망자 사이를 감시할 통화국 대리인을 지상에 파견했다.

길강욱은 술에 취해 고개를 꾸벅이며 한봄의 손등을 가볍게 토닥였다.

"그래서 결론은…… 나는 그 아이한테 너무 감사하다고. 그 꼬마 덕분에 나도 이렇게 살아서, 또 살고 있잖아. 그리고 걔 어머니 또한 분명 멋진 분이셨다고…… 한 번쯤은 전하고 싶었어."

길강욱이 그 아이를 바라보며 말했다.

한봄은 그저, 손에 쥐고 있던 라이터 뚜껑을 열었다 닫기를 반복했다. 지옥 불이 반짝 빛을 내다 사라졌다.

'염라가 골려주려던 게 확실하네.'

전부 엉터리에, 정확한 게 하나 없는 이야기를 끝까지 들으며 한봄은 가볍게 미소 지었다. 이제는 어둠에 잠겨 새카매진 화곡산을 바라보며 그녀는 넌지시 입을 열었다.

"엄마가 아니라 아빠였어, 의술이 뛰어난 쪽은."

'어떻게 미워할 수 있을까, 그래도 어머니인데.'

한봄은 제 어미를 미워할 수 없었다. 마을 사람들이 그녀를 두고 뭐라 떠들어도 한봄에게만큼은 아주 가끔, 좋은 사람이었으니까. 한봄의 어머니는 남편이 집을 비워 의지할 사람이 없거나 가뭄에 콩 난 듯 기분이 좋은 날이면 딸내미를 끌어다 아랫목에 앉았다. 뜨끈한 구들장에 엉덩이를 지지며 둘은 온기를 나누곤 했다. 어린 한봄은 어머니의 두툼한 옆구리 살에 매달려 긴 잠에 들었다.

물론 자주 미웠다. 그녀의 어미는 다혈질에 화가 나면 물건을 집어 던졌고 분한 일이 생길 때마다 치맛자락부터 움켜쥐고 원흉에게 달려들었다. 하지만 온기 가득했던 여인의 살냄새를 기억하는 한 한봄에게 그녀는 선인이었다. 비록 그것이 삐뚤어진 모정이었을지언정 부족한 사랑이라도 사랑을 받고 말았다.

아이는 어머니를 원망하는 대신, 자신이 더 착한 사람이 되기로 마음먹었다. 여인이 남의 집 장독대를 탐내거나 참외밭을 서리해도 한봄은 그녀의 죄를 상쇄해달라며, 자신이 고이 지켜온 선심을 신께 바쳤다.

"봄이야, 이 어미랑 그냥 같이 죽자!"

한봄의 부모는 그녀를 '봄이'라 불렀다. 귓가에 울리는 부드러운 어감을 소녀는 좋아했다. 그래서 여인이 자그만 손바닥에 베풀어진 인정을 쳐냈을 때도 한봄은 참을 수 있었다. 그녀의 어미는 한평생 대가 없는 호의를 믿지 않았다.

"네 아버지 없이 우리 둘이 어찌 살아! 이 어미는 자신 없다. 아비 없는 자식이 홀어미 밑에서 잘 커봐야 얼마나 잘 크겠다고."

이미 생명을 다한 여인의 눈동자. 그 깨진 유리구슬은 어린 한봄을 투영했다. 추레한 몰골에 움푹 파인 볼이 가여운 소녀에게 한봄은 강렬한 연민을 느꼈다. 그리고 어쩌면 이 모든 것을 내려놓아야 저 불쌍한 소녀라도 편해지지 않을까 하는 생각이 한봄을 강렬하게 사로잡았다.

한봄은 어머니 곁에 누웠다. 이제는 피골이 상접한 옆구리에 손을 얹고 그대로 잠이 들었다.

염라가 한봄의 영혼을 거두어들인 후에도 마을에 비극은 몇 번이나 반복됐다. 금수강산이 수십 번 모습을 달리할 동안에도 사람이 가진 욕망의 성질은 변함이 없었다.

전화줄 내려오는 곳이 물과 맞닿아 있다고 하여 사람들은 이를 수세권이라 불렀다. 모 기업의 재벌 3세는 돌연사한 아버지의 유언장 내용을 받아들일 수 없다 하여 손수 수세권을 확장했다. 인천 바다 인근, 약 500평의 땅을 사들여 임시로 간척했다. 재력이 따랐기에 실행할 수 있는 멍청한 결단력이었다. 인천 시청 앞에서는 하루가 멀다하고 그녀의 입주를 반대하는 시민들의 시위가 벌어졌지만 대저택 완공은 막을 수 없었다.

재벌 3세가 입주한 첫 보름날부터 전화줄은 뚝 끊겼다. 염라가 공언한 절대 조건에서 '인간의 욕심이 하늘에 미치지 않는 곳'이 꼭 높이만을 뜻하는 것은 아니었다. 주민들은 분노했고 여인은 결국 건축법 위반 및 무허가 주택 소유 혐의로 경찰 조사를 받게 되었다. 개인의 욕심이 집단의 기회를 박탈하는 스캔들이었으나 이러한 사건은 이제 너무도 흔한 일이라 신문에도 실리지 않았다.

길강욱은 비틀거리며 작은방으로 향했다. 한봄이 바닥에 깔아둔 이부자리에 들어가 빼꼼 고개만 내민 채 취기 어린 부탁을 했다.

"나중에 전화 오면 물어봐줘."

"뭘?"

한봄이 그에게 베개를 던지며 묻자 길강욱은 전화 테이블을 턱으로 가리켰다.

"'진짜' 그쪽 세상은 어떤지 말이야. 난 뜨거운 게 싫은데 덥지는 않은지. 죽은 사람들과 또 죽지도 못하고 한평생 어울려 살아야 하는지."

그게 너무너무 궁금하다며 길강욱이 말꼬리를 흐렸다.

한봄은 단칼에 거절했다.

"내가 왜?"

그러자 천장을 바라보고 누워 있던 길강욱이 몸을 홱 돌렸다. 매서운 눈초리를 의도했겠지만 이미 만취한 그는 눈꺼풀도 제대로 못 들어올렸다.

"좀 물어봐줘라! 우리 중에 너만 통화할 수 있잖아."

길강욱이 큰 목소리로 하소연했다.

저승차사에 대한 소문은 끝이 없었다. 예를 들어, 그들은 눈에 보이는 귀신이다. 저 귀신놈들이 망자의 영혼을 빼먹으며 영생을 누리는 거다. 밉보이면 지옥에 끌고 간다고 하니 더러워도 참고 피해라. 아니, 쉽게 일하는 것을 보면 부잣집 자녀들일지도 모른다. 국가 차원에서 대국민 사기극을 벌이고 있다. 저승줄도 사실이 아니다. 대역을 고용해서 각본대로 연기를 시킨다는 둥, 유언비어처럼 떠돌던 말들은 이제 기정사실처럼 여겨졌다. 그 중에서도 길강욱은 '통화국 대리인들은 망자와 무제한으로 무료 전화를 즐긴다'라는 풍문을 가장 억울해했다.

이는 도리어 정반대였다. 저승차사들은 보름날에도, 그믐날에도 자신이 원하는 망자와는 통화할 수 없었다. 물론 염라가 금지한 것은 아니었다. 저승 왕은 심지어 직원 복지 중 하나로 이를 허하였는데, 다만 한 가지 조건이 따랐다. '근무지 반경 1km 이내를 벗어나지 아니한다'는 것.

초기의 저승차사들은 이 규칙을 철저하게 준수했다. 그들 스스로가 통화국 '사람'보다는 저승의 '차사'라고 인식했기 때문이었다. 그러나 생을 살다 보니 예기치 않게 인연이 찾아왔고 불확실한 관계에 마음을 데면서도 야금야금 이승의 삶에 스며들었다. 그렇게 소중한 사람들이 생겼다. 사랑하는 연인과 훌쩍 떠나고 싶은 순간이나 이사 간 친구가 보고 싶을 때마다 흔쾌히 동의했던 단 하나의 조건이 발목을 잡았다.

저승차사들이 하나둘 망자를 잊고 새로운 삶을 선택할 때에도 홀로 끝까지 규칙을 준수한 자가 있었으니, 바로 한봄이었다. 그녀는 지금껏 오직 한 명의 망자에게 전화를 걸어왔다.

"됐어, 나는 이거면 돼."

한봄이 다이얼 전화기를 쓰다듬었다. 길강욱을 뒤로하고 전화 테이블에 앉았다. 비좁은 공간에 발을 욱여넣는 모습에 길강욱이 인상을 찌푸렸다.

"너무 늦지 않았어? 벌써 새벽 4시라고."

술에 취한 한봄은 그의 말을 귓등으로 들었다. 기어이 수화기를 집어드는 그녀를 바라보며 길강욱이 낮게 한숨을 내쉬었다.

"오늘 내가 실언한 것 같다. 방금 건 잊어줘."

나 먼저 잔다, 하고 중얼거린 그는 머리맡으로 손을 뻗어 방문을 닫았다.

한봄은 이번 그믐날의 60대 여인처럼 수화기에 뺨을 꾸욱- 갖다 댔다. 수신인은 대체로 곧장 전화를 받았지만 가끔은 아주 오래, 그녀를 기다리게 했다. 이제는 기억 속에 희미해진 남자의 목소리를 떠올리며 한봄은 고개를 떨궜다. 적막한 거실에 벽시계 초침 소리만 크게 울렸다.

봄이야, 안녕.

사내의 인사말은 한결같았다. 오랜 시간이 흘러, 이제 그를 추억하는 사람은 한봄뿐인 것을 알듯이. 세월을 받아들이는 사내의 수더분함이 그녀를 더 아프게 했다.

오늘은 어떤 일이 있었느냐고 사내가 물었다.

'이 목소리였던가?'

한봄은 오늘따라 사내의 목소리가 낯설게 느껴졌다. 그녀는 허공을 응시하며 옛 기억을 더듬었다. 깊은 산골, 어느 의원의 모습을 떠올려보았다. 낮은 숨소리와 걸걸했던 음성, 노인들을 상대하느라 크고 또박또박하게 얘기하던 습성이 밴 목소리를

신라 화장 길강욱   145

이제는 또렷이 기억해낼 수 없었지만 한봄은 대신 우직했던 그의 존재감을 되짚으며 눈을 감았다.

7
월
의
백
승
석

주요비는 자꾸만 눈동자가 옆으로 쏠리는 것을 막느라 애를 먹었다. 고개를 힘껏 들어야 겨우 시선을 맞출 수 있는 키 큰 아저씨의 품에서는 꽃향기가 났다.

이른 저녁. 아직 점등하지 않은 아파트 복도 속 여름 공기가 유독 눅눅했다. 주요비는 병아리 같은 총총걸음으로 엘리베이터에 올라탔다.

"몇 층 가세요?"

아이가 남자의 허벅지에 대고 물었다. 남자는 어설프게 웃더니 "10층 가요."라고 대답했다. 주요비는 자신도 10층에 간다며 숫자판에 팔을 뻗었다. 까치발까지 들어보지만 오늘따라 버튼은 멀기만 했다. 주요비가 안간힘을 쓰고 있자 사내가 성큼 다가와 기다란 손가락으로 10층을 눌렀다. 남자가 팔을 움직일 때마다 긴팔 셔츠 안으로 그을린 속살이 언뜻 비쳤다.

남자는 풍성한 꽃다발을 한 손에 가볍게 쥐고 있었다. 주요비는 홀린 듯 남자의 얼굴을 훔쳐보았다. 물 빠진 청바지 위에 하얀 셔츠를 걸친 그는 아이와 눈이 마주치자 방긋 웃어 보였다.

'오늘 수진 언니네서 자길 다행이다.'

주요비는 정면만 바라본 채 생각했다.

원래라면 경진네서 이틀 밤을 지낼 예정이었다. 그러나 그들이 할머니 댁에 내려가야 한다며 갑작스레 파투를 놓았다. 대타를 맡게 된 수진 아빠가 곧장 달려와 따져 물었다.

"아니, 내가 귀찮아서 이러는 게 아니잖아요. 그쪽이 뱉은 말을 안 지키니까 그렇지."

경진 엄마는 이미 휴가를 썼으니 어쩔 수 없다며 책임을 미뤘다. 수진 아빠는 억울함과 분노가 버무려진 표정으로 주요비에게 물었다.

"아줌마가 왜 그럴까, 그치?"

둘 사이에서 눈치를 보던 주요비는 "저는 뭐든 괜찮아요." 하고 중얼거렸다. 김옥자가 통원 치료를 위해 서울로 떠나면 주민들 사이에서 왕왕 벌어지는 일이었다.

주요비는 주머니 속 몽돌을 만지작거렸다. 남자가 풍기는 꽃 향기를 깊게 들이키며 오늘 10층에 사는 수진 언니네서 자는 것에 감사했다.

"몇 살이에요?"

남자가 물었다.

"저는 여덟 살이에요. 이름은 주요비고요, 주 씨라서 13번이고요, 어, 저기 3동 3층에 살아요."

주요비는 낯선 사내에게 제 인적 사항을 술술 불었다. 숨을 몰아쉬느라 호흡이 끊길 때마다 남자는 함께, 느리게, 고개를 까딱였다. 주요비의 말이 끝나자 남자가 천장을 바라봤다. 눈동자를 굴리더니 "아하." 하고 입을 벌렸다. 손바닥에 도장 찍듯이 주먹을 가볍게 내리치더니 "꼬마 아가씨구나!" 하고 무척 반가워했다.

남자가 주요비에게 손을 내밀었다. 아이는 어리둥절한 것도 잠시, 이내 활짝 웃었다.

주요비는 항상 어른의 세계가 궁금했다. 어째서 자신은 아파트가 그려진 전단지를 받지 못하는지, 빨간색이나 파란색 옷을 입은 아저씨들에게서 명함을 받지 못하는지 아무도 설명해주지 않았다. 자신의 인생에 처음 내밀어진 어른의 악수가 주요비의 가슴을 뛰게 했다.

주요비는 커다란 손을 맞잡고 배꼽 인사를 했다.

"안녕하세요."

볼록한 배를 뒤로 접었지만 시선은 남자를 응시한 채였다. 귀여운 행동에 남자가 크게 웃었다. 하얀 이를 드러내며 아이의 머리를 쓰다듬었다.

"앞으로도 좋은 어른으로 자랐으면 좋겠네요." 하고 어른 세계의 안내자처럼 덕담을 남겼다.

꽃을 든 남자가 먼저 엘리베이터에서 내렸다. 주요비에게 가볍게 목례하곤 10층 깊숙한 곳으로 걸어갔다. 그는 곧 주홍글씨가 새겨진 괴물의 집 앞에 섰다.

백승석은 한봄에게 7월의 손이었다. 악귀가 아니라 진짜 사람 손님. 그는 담백한 유월을 지나 후덥지근한 7월 첫날이면 어김없이 대문을 두드렸다. 다른 계절에도 불쑥 찾아오곤 했지만 여름에는 유독 빈번히 찾아왔다.

"6월은 안 돼. 금잔화가 아직 안 피거든."

그는 달맞이랑 금잔화는 꼭 같이 섞어야 한다고 주장했다. 그게 달과 일하는 한봄에게 안성맞춤이라고 했다.

1009호 문이 열렸다. 백승석은 뒷짐을 풀면서 등 뒤로 숨기고 있던 꽃다발을 빼들었다. 샛노란 꽃잎이 그의 물 빠진 청바지와 대비돼 한층 싱그러워 보였다.

"조금 안 예쁘더라도 봐줘."

백승석은 매번 그럴싸한 핑계를 덧붙였다.

"달맞이꽃은 야생화란 말이야. 꽃집에서 손질 받은 마리골드
랑은 어울리기 힘든걸. 고개도 빨리 꺾이고 금방 시들해지겠지
만 그래도 아껴줘."

금잔화는 카네이션처럼 꽃잎이 풍성했다. 옹골진 대여섯 송
이의 금잔화 주변으로 다리 짧은 달맞이꽃이 분포해 있는 수상
한 데커레이션에 한봄은 그의 꽃가게 매출이 걱정되었다.

"고마워요."

그녀는 예나 지금이나 꽃에 약했다. 선물로 향하던 손이 어
정쩡하게 허공에 멈춰 섰다. 그걸 본 백승석이 큰 입을 벌려 소
리 없이 웃었다.

"익숙해지질 않네. 만져도 된다니까. 생각보다 강해."

그는 개구쟁이처럼 콧잔등을 찡그리며 어서 만져보라고 턱짓
했다. 권유에 못 이겨 한봄이 집게손을 내밀었다. 고약한 냄새
풍기는 양말을 집듯이 잔뜩 긴장한 채로 꽃다발을 품에 안았다.

'뭐라고 해야 할까.'

한봄은 어울리는 말을 고르기 위해 고심했다. 그의 말마따
나 꽃은 생각보다 생기 넘쳤다. 열매를 터뜨리고자 땅에서부터

흙을 가르고 올라왔을 이 생명체의 여정은 한 편의 서사시처럼 위대했다. 하지만 그녀가 보기에는 한없이 여려서 한봄은 아이의 뒤통수를 어루만지듯 조심스럽게 꽃잎의 촉감을 느꼈다. 여인의 수더분한 행동에 백승석은 금세 마음이 동했다.

"나 들어가도 돼?"

그가 발을 동동 구르며 물었다. 도톰한 입술을 날카로운 어금니로 잘끈 씹으며 어쩔 줄 몰라 했다.

백승석은 한봄보다 키가 조금 더 컸다. 한 5~6cm쯤. 고개를 살짝 치켜들면 눈을 맞출 높이였다. 그의 하얀 피부는 여름에 접어들면 황동색을 띠었고 큰 코는 뙤약볕에 살갗이 벗겨지곤 했다. 고동색 눈동자는 처진 눈두덩이에 숨어 있다가 밤이 되면 온전한 크기를 되찾았다. 시원하게 드러낸 이마 아래로 오늘따라 안광이 휘영청 밝았다.

백승석은 곁사람 불편하도록 위험한 비밀을 가진 주제에 입을 살짝 벌리면 어수룩해 보이는, 결론적으로 타고난 호감형 얼굴이었다. 이런 자가 동네 경찰관이라면 자신은 이 훤칠한 사내를 구경하기 위해 기꺼이 그 주변을 산책 코스로 정했을 거라고 한봄은 생각했다.

"입 좀 다물어요."

침 떨어질라. 한봄이 그의 입가에 손가락을 갖다 댔다.

"만지지 마."

백승석이 정색하며 고개를 뒤로 뺐다. 눈초리가 매서워졌다. 한봄은 까다로운 꽃을 대할 때처럼 손을 움찔대다가 허공에 멈추었다.

그는 비유하자면, 초식하는 돌연변이 카멜레온이었다. 자유자재로 제 모습과 위치를 바꿔댔다. 태양 아래에서 온순했던 꽃집 사장은 땅거미가 지면 여왕 사마귀로 돌변했다.

포식자 주제에, 백승석은 먹이를 보고 애간장 녹는다는 표정을 지었다. 길게 흘러내린 앞머리를 조급하게 쓸어넘겼다. 한봄은 그를 골려줄까 하는 생각도 들었지만 허락 없이 뻗어 드는 팔이 애석해서 그녀는 그를 반갑게 맞이했다.

"들어와."

백승석이 날아 안겼다. 육중한 몸뚱이에 한봄이 두세 걸음 밀려났다.

"정말 보고 싶었던 거 알아?"

덩치 큰 사내가 속삭였다. 그는 자신의 감정을 능숙하게 말로 표현하고 솔직한 행동으로 드러냈다. 듣고 있던 금잔화가 부끄러워 꽃잎으로 눈을 가릴 정도로.

"저승차사는 자신만의 방을 갖고 있다며."

어느 날 백승석이 물었다.

그는 파르댕댕한 새벽녘을 등에 지고 한봄을 흔들어 깨웠다. 자신의 뛰어난 몽상을 누군가에게 털어놓지 않는 한 도저히 못 배길 것 같을 때 그는 곤히 자고 있는 한봄을 가장 먼저 괴롭혔다.

"이것 봐봐. 나도 나만의 방을 꾸며보았어."

"염라가 허락해준대요?"

한봄이 잠긴 목소리로 물었다.

"몰라, 본 적은 없는데."

"그러시겠지."

둘은 허튼소리를 주고받았다. 한봄은 자꾸만 한 번만 보라며 종이를 들이미는 백승석의 뺨을 저 멀리 밀어냈다. 아직 나른한 축복 속에 잠겨 있는 그녀에게 눈을 뜨기란 너무도 잔혹한 일이었다.

"알겠어, 설명해봐요."

한봄이 말했다.

"눈부터 뜨고 얘기해."

백승석이 볼멘소리를 냈다. 집게손으로 눈두덩이를 까뒤집는 그의 손을 쳐내며 한봄은 나름의 이유를 댔다.

"눈을 감은 사람도 머릿속에 그림을 그릴 수 있을 만큼 잘 설명해야 그게 진정한 나만의 방이죠. 떠올리지도 못하는 집을 내 거라고 할 수 있겠어요?"

백승석은 답이 없었다. 한봄은 그가 도발에 넘어왔음을 직감하고 웃음을 삼켰다. 이것은 본때를 보여주겠다는 첨예한 침묵이었다.

백승석이 셔츠 소매를 걷어붙였다. 그는 한여름에도 소매가 긴 의복을 선호했다. 이윽고 까슬까슬한 이불이 사람의 신체와 스치는 소리가 그녀 귀에 맴돌았다.

"좋아, 들어봐."

백승석이 그녀의 어깨에 손을 얹었다. 한봄은 여전히 두 눈을 감은 채로 텅 빈 공간을 떠올렸다.

"내 방 가장 안쪽에는 무조건 양쪽으로 여는 큰 창을 달 거야. 어린이는 나무 의자를 밟고 올라가야 시내 풍경을 내다볼 수 있을 정도로 높은 위치여야 해. 덕분에 아침에는 채광이 은은하겠지만 정오의 작열하는 태양도 피할 수 없지. 상상해봤어? 좋아. 그 바로 앞에는 침대를 배치할 거야. 동선이 퍽 불편하다 싶을 공간만큼만 남겨두고 이렇게 쫘악- 세로로."

백승석이 두 팔로 긴 세로줄을 만들었을 게 눈에 선했다. 한봄이 실소하자 백승석도 작게 웃으며 그녀의 옆통수에 이마를 붙였다.

"침대도 무조건 높아야 해. 매트리스가 너무 두꺼워서 무심결에 앉았다가는 마룻바닥이 삐거덕대는 그런 거 있잖아. 잠자기 좋게 밧줄도 잘 잡아당겨놓고. 그리고 침대는 철제 프레임! 그건 진짜 유년 시절의 향수를 불러일으키지. 칠이 벗겨지고 투박한 것일수록 좋아. 또 어느 날 갑자기 첩자가 집에 침입해도 긴급하게 내 몸 하나는 뉠 수 있도록 침대 밑 공간도 넓었으면 좋겠어. 나는 어렸을 때부터 거기에 수트케이스나 가족 앨범을 비밀상자에 숨겨두곤 했거든. 바닥에는 발 시리지 않게 양탄자도 곳곳에 깔아둬야 해. 나는 유독 이집트……."

"그만."

한봄이 백승석의 입을 가로막았다. 그는 한봄이 이제야 눈을 떴다며 그녀의 눈동자를 빤히 바라봤다. 시선을 회피한 한봄은 몸을 일으켜 침대 헤드에 등을 붙였다. 그녀는 과도하게 고개를 끄덕이며 새벽녘의 예술가에게 찬사를 보냈다.

"충분해. 훌륭한 설명이었어요."

백승석은 마치 선생님께 숙제를 검사받는 학생처럼 종이를 내밀었다. 스프링에서 뜯어낸 종이의 표면이 오돌토돌했다.

"이건 어디서 났대?"

한봄의 물음에 그는 작은방을 가리켰다. 거기는 몇 달 전부터 한봄의 집 문을 두드렸던 어린 손님의 물건들로 가득찬 지 오래였다. 알록달록한 장난감을 보고서도 백승석은 별다른 의문을 품지 않은 듯했다.

한봄은 도화지를 손에 쥐고 감상했다. 그림은 마치 어디 동남부 나라의 화가가 시간에 쫓겨 스케치를 마친 듯 필압이 거칠고 다급했으나 적절한 구도 설계와 확실한 명암 구분 덕분인지 퍽 괜찮은 작품처럼 보였다. 백승석은 그녀가 무슨 생각을 하는지 알겠다는 듯 어깨를 으쓱했다. 꽃집 사장님이라면 이 정도 재주는 있어야 한다고 한껏 으스댔다.

"이건 언제 다 그렸대."

"너 자는 동안에."

"피곤하겠다."

한봄이 갈퀴 같은 손으로 그의 머리카락을 쓸어넘겼다. 백승석은 평온하게 제 얼굴을 맡겼다. 그의 그림 속에 작열하는 태양만큼은 아니지만 한봄의 집은 채광이 좋은 편이었다. 곧 떠나야 하는 백승석은 들이치는 빛을 피해 잠시나마 눈을 감았다.

초등학생들이 우르르 학교를 빠져나왔다. 가방도 메지 않은 가벼운 마음으로 여름방학을 향해 달렸다. 주요비만 무거운 짐을 짊어지고 친구들과 인사했다.

"안녕!"

주요비가 산토끼처럼 깡충깡충 뛰었다. 가방이 퍽퍽- 허리를 쳤지만 개의치 않았다. 볼록한 뺨으로 바람을 갈랐다. 그렇게 달리고 달리다 보면 헉헉거리는 숨소리만 소녀의 귓가에 맴돌았다.

오늘은 주요비의 소원이 이루어지는 날. 아이는 이대로 하늘을 날 수 있었다. 평소라면 천천히 둘러봤을 주변 풍경도 눈에 들어오지 않았다. 할아버지의 구둣방, 달걀빵을 파는 노점, 형광등이 번쩍이는 가게, 기나긴 횡단보도를 지나자 저 멀리서 까만 옷을 몸에 두른 남녀가 보였다. 다육식물 가게 바로 앞이었다.

"언니!" 하고 주요비가 달려갔다. 한봄은 한숨을 내쉬며 다급히 라이터를 사자복 속으로 숨겨 넣었다.

김옥자는 몇 주 전, 가게에 들른 한봄을 붙잡았다.

"대리인 양반네 집에서 자는 게 소원이래."

한봄은 누구를 지칭하는지 단번에 알아차렸다. 김옥자는 죽은 사람 소원도 들어준다는 마당에 멀쩡하게 살아 있는 어린애 소원 하나 못 들어주느냐며 한봄을 나무랐다. 통화국 대리인은 들리지 않는 척 물건 값을 치르려 했지만 김옥자가 도로 돈을 돌려주었다.

"소원 값이야."

한봄은 주요비를 내려다보았다.

'얄미운 놈.'

어른을 골려 먹으려고 더 큰 어른을 이용해먹다니. 간악했지만 또 그 수준이 뻔해서 우스웠다. 한봄은 허리에 매달린 아이에게 통지했다.

"처음이자 마지막이야."

주요비는 한봄이 너무 좋아서 몸이 부르르 떨렸다. 입안에 톡톡 튀는 사탕을 넣은 것만 같았다. 마침 오늘 받아온 방학 숙제는 셋이 즐길 소꿉놀이로 알맞았다.

"언니 있잖아요, 겨울방학 숙제로, 어, 장래 희망 인터뷰해오래요."

"그렇구나."

한봄은 자신과는 아무런 관련이 없다는 듯 시큰둥하게 반응했다. 하지만 당돌한 주요비는 "저는 언니처럼 되고 싶어요!"라며 펄랭이 마을이 뒤집힐 소리를 내뱉었다.

"저승사자 돼서 뭐 하려고."

한봄이 제 직업을 비하하는 뉘앙스를 풍기며 대꾸했다.

그러자 주요비는 도리어 자신이 상처받은 것처럼 볼을 부풀렸다. 어린아이 특유의 뽀로통한 표정으로 "저승사자가 아니라 멋진 공무원이라고 그랬어요." 하고 반박했다. 망부석처럼 서 있던 길강욱이 웃음을 터뜨렸다. 요즘은 학교에서 잘 가르친다며 크게 기뻐했다. 그러고는 집주인의 허락도 없이 주요비를 한봄의 집으로 안내했다.

"마침 그 공무원이 여기 둘이나 있네. 우리 빨리 가서 인터뷰할까?"

주요비는 좋다고 외쳤다. 한봄은 눈살을 찌푸리며 불편한 기색을 보였지만 길강욱과 주요비 중 그 누구도 신경 쓰지 않았다.

한봄이 선언했다.

"질문 시간은 18분만 줄 거야."

청천벽력의 소식에 아이는 미리 질문을 생각했다. 까먹을까 봐 집에 돌아오는 순간까지 중얼거렸다. 집중한 소녀를 골리겠다고 길강욱이 에베베- 같은 이상한 소리를 냈다가 주요비를 울릴 뻔했다.

길강욱은 한봄과 꼬맹이가 못 본 새 많이 친해졌다는 사실을 눈치챘다. 겉보기처럼 낯을 많이 가리는 한봄이 꼬맹이한테는 온 신경을 집중하고 있었다. 그녀는 주요비의 목소리에 맞춰 몸을 기울인다거나 아이가 찾는 물건을 금세 손에 쥐여주었다. 물론 그녀를 잘 몰랐다면 알아채지 못할 만큼의 미미한 변화였다.

주요비는 머릿속에 어미가 각인된 꼬마 오리처럼 그녀를 졸졸 쫓아다녔다.

"언니네 집에서 외박은 처음이잖아요."

주요비가 가방을 거꾸로 잡았다. 물건이 와르르 쏟아졌다. 남의 집에서 자는 걸 밥 먹듯 하는 아이가 전날부터 잠도 못 자고 언니 집에 가져갈 물건을 챙겼다. 김옥자는 학교가 끝나고 집에 들렀다 가도 된다고 말했지만 주요비는 굳이 학교까지 무거운 가방을 이고 갔다.

"할머니가 칫솔이랑 양말 챙겨줬어요. 내가 제일 좋아하는 돌도 네 개나 챙겨왔는데 조금 있다가 소개해줄게요. 지금은 인터뷰부터 먼저 해야 해요."

주요비는 어른 둘을 거실에 앉혀두고 작은방으로 달려갔다.

그곳은 주요비의 작은 보물 창고였다. 한봄과의 소중한 나날들이 거기 있었다. 선반에 접어둔 투명한 우비는 5월의 소나기를 피해 구매했다. 6월에 데려온 바다사자 인형이 그 옆에 자리했다. 7월의 늦은 밤에는 언니와 함께 만화영화를 보며 팝콘을 집어먹었고 그 고소한 냄새 풍기는 봉지를 주요비는 고이 접어 작은방 서랍장에 보관해두었다. 아이는 장에서 초록색 공책을 꺼냈다. 글자 칸이 무척 큰 그림일기장이었다.

주요비는 통화국 대리인들에게 맹세를 요구했다. 길강욱이 거실에 무릎 꿇고 앉아 선서했다.

"나, 통화국 대리인 길강욱은 펄랭이 마을의 미래, 주요비 양의 질문에 성실히 대답할 것을 맹세합니다."

주요비는 만족스럽게 고개를 끄덕였다. 일기장의 첫 장을 펼치더니 연필을 쥐고 무언가를 써 내려갔다. 한봄이 슬쩍 훔쳐보자 아이가 얼굴을 붉혔다. 발을 동동 구르는 탓에 한봄은 두 손을 들며 더 이상 안 보겠다고 말했다.

"성실히 대답해주세요."

주요비가 방금 배운 문장을 활용하며 엄중히 요구했다. 두 대리인은 꼼짝도 못한 채 알겠다고 했다.

"어른들은 어린이의 요구에 응아할 필요가 있어요."

이건 주요비가 요사이 미는 슬로건이었다. 설이 엄마의 입에서 나온 말들 중에서 제게 유리해 보이는 문구를 콕 집어, 아이는 제 집 가훈이라고 우기기 시작했다.

"그게 가훈이야? 부모님이 많이 슬퍼하시겠는데?"

길강욱이 비아냥거렸지만 주요비가 알아들을 리 없었다.

시골에서는 아이가 귀하다. 그 귀한 아이가 딱하게도 부모를 잃었으니 주요비는 어화둥둥 모두의 사랑을 받고 자랐다. 그 '모두' 중 하나였던 한봄은 어디 질문을 해보라며 자세를 편히 했다.

주요비가 크흠- 목을 가다듬었다.

"통화국 대리인은 동물들이랑도 통화를 하나요?"

첫 질문부터 예리했다. 두 대리인이 눈을 마주쳤다. 소꿉놀이처럼 적당히 어울려주고 끝내기는 글렀다는 예감이 날카롭게 파고들었다.

한봄이 시선을 회피하며 대답했다.

"그렇다고 봐야지."

"그럼 저도 강아지랑 통화할 수 있나요?"

동물을 사랑하는 아이가 기대감에 부풀어 물었다. 이번에 한봄은 "그럴 수 없다고 봐야 해."라고 말했다.

주요비는 명확한 대답을 원했다. '무엇무엇했습니다'로 끝나는 확실한 문장이 적기 편하다며 한봄을 재촉했다. 그녀가 마른 입술을 뜯으며 저승의 진실을 어디까지 풀어낼지 가늠하는 동안 주요비는 그새를 못 참고 쫑알거리기 시작했다.

"강아지는요, 저랑 똑같아요. 좋으면 어, 이렇게 입을 벌리고 뛰어다녀요."

주요비가 두 팔을 가슴께에 모아 사지동물처럼 뛰는 시늉을 했다.

"밥 먹을 시간도 다 알고요, 실수로 꼬리를 밟으면 요렇게 째려도 보고, 어, 아프면 침대에 축 누워 있어요. 그래도 전화 못 해요?"

한봄은 똑같은 대답을 내놓았다.

"그렇다고 봐야지."

주요비는 실망한 기색이 역력했다. 하지만 질문자의 목적을 잃지 않고 두 번째 항목으로 넘어갔다.

"아저씨는 저번에 왜 화장을 했어요?"

주요비가 길강욱을 가리키며 말했다.

"아저씨 아니라니까."

길강욱이 주먹을 불끈 쥐었다. 그는 자신이 아저씨면 한봄은 할망구라며 하소연했다. 초등학생 수준에 맞춰 낮아진 길강욱의 어휘 실력에 한봄은 이마가 지끈했다.

"꼬마, 내가 화장한 건 이상하지 않아?"

한봄이 제 얼굴을 가리켰다.

주요비는 이상하지 않다고 답했다. 그럼 자신이 바지를 입는 것에 대해서는 어떻게 생각하느냐는 질문에 아이는 그것 또한 이상하지 않다고 말했다.

한봄이 고개를 끄덕였다.

"그런 거랑 비슷한 거야. 남자가 화장하고 치마 입는 건 어쩌면 이상한 게 아닐 수도 있는 거야."

주요비는 입을 삐죽 내밀었다. 언니는 대답이 이상하다며, 이렇게 해서는 숙제를 끝마칠 수 없다고 투덜거렸다. 그렇다면 스스로 답을 내보라며 한봄이 멍석을 깔아주었다.

"이유가 뭘까? 어째서 내가 화장하고 바지 입는 건 이상하지 않은데 이 이저씨가 화장하는 건 이상할까?"

아이는 선뜻 대답하지 못했다. 우물쭈물하며 망설이다가 나름의 해답을 내놓았다.

"다들 이상하대요. 이상하다니까 이상한 거예요."

한봄은 고개를 저었다. 그건 답이 될 수 없다고 말했다.

주요비는 고개를 떨구고 손가락을 꼼지락거렸다. 알 수 없는 감정이 북받쳐 올랐다. 슬픈 게 아니야. 울면 이상한데 아이는 금방이라도 눈물이 떨어질 것 같아서 눈을 크게 떴다.

"야."

길강욱이 다급하게 한봄의 소매를 잡아당겼다. 억센 손길에 그녀의 사자복이 반쯤 벗겨졌다. 한봄은 그제야 햄스터처럼 새까만 눈동자에 서린 슬픔을 읽었다. 그녀는 여덟 살 아이에게 알맞은 설명이 어떤 것인지 몰라 난처했다. 하지만 될 수 있는 한 솔직하게, 자신의 생각을 드러냈다.

"언니는 말이야, 주요비 생각이 궁금한 거야. 다른 사람 말고 네 의견. 혹시 양초 알아? 제사 지낼 때 쓰는 기다랗고 하얀 거. 그걸 사람에 빗대어 표현하자면 사람들은 누구나 가슴 속에 굵은 심지를 세워야 해. 판단이란 불꽃을 태울 굳은 심지를. 먼저 자기 자신을 정립하지 않는다면 주변에서 불어오는 바람에 흔들리기 십상이거든. 그래서는 올바른 사람이 될 수 없어. 타인의 의견을 듣는 건 그다음에 해도 충분해."

한봄은 최대한 밝은 표정을 지었다. 무표정일 때 가장 무섭다던 길강욱의 외모 평가를 떠올린 그녀는 입으로 웃고 눈을 선하게 떴다. 이러한 노력에도 불구하고 아이는 여전히 울상이었다. 길강욱은 뭔가 더 이야기해보라며 눈빛으로 종용했다. 한봄은 숨겨두었던 비밀 하나를 풀기로 했다.

"그럼 이건 꼬마한테만 알려주는 건데."

"요비라고 해줘요."

아이가 코를 시뻘겋게 물들인 채 언니에게 부탁하자 한봄이 부드럽게 웃었다.

"그래. 요비한테만 말해주는 건데, 저승 왕이 좋아해."

"뭘요?"

한봄은 말해 뭐 하냐는 표정으로 자신을 가리켰다. 평상복처럼 두르고 다니는 사자복을 들춰 보였다. 안감은 화려한 빛이 나는 황금색이었다.

"이 꼴을. 저승 왕은 화려한 걸 좋아하거든."

"저승 왕? 염라대왕 말이에요? 지옥에 사는 악마잖아요, 저도 알아요."

이렇게 이마에 뿔 달려 있다며 주요비가 머리 위로 손가락을 세워 보였다. 교과서에서 배웠다며 염라를 묘사하는 주요비가 한봄은 새삼 어린아이처럼 느껴졌다.

"저승 왕이라는 건 우리끼리 일반적으로 부르는 용어일 뿐이야. 크게 신경 쓰지 마. 네가 악마라 느끼면 악마인 거지."

신이 있다고 믿는다면 그가 너의 곁에서 숨을 쉬듯이 말이야. 한봄은 엉덩이를 툭툭 털고 일어섰다.

"인터뷰는 이 정도에서 끝내. 어차피 너는 저승사자 못하니까."

자격 미달이라며 한봄은 주요비의 장래 희망 인터뷰를 단칼에 종료했다.

아이가 입술을 삐죽거렸다.

"치, 할머니가 저승차사라고 했어요. 보름날에는 대리인, 그믐날에는 차사라고 불러야 한댔어. 귀신이 아니라 볼이 따뜻한 사람이니까."

주요비는 길강욱을 향해 오동통한 손가락을 뻗었다. 느닷없이 날아든 손길에 눈 뜨고 볼 찔린 그가 피식 웃었다. 한봄이 어째서 이 꼬마에게 마음을 열었는지 알 것도 같다고 길강욱은 생각했다.

그는 작고 동그란 머리를 쓰다듬으며 소녀를 다독였다.

"그래그래."

한봄은 꽃병에서 금잔화 묶음을 꺼냈다. 달맞이꽃은 잔뜩 비틀어져 고개를 떨군 지 오래였다. 물기를 머금은 표피가 줄기에서 떨어져 나와 유리병 위를 둥둥 떠다녔다. 쿰쿰한 냄새가 나는 병을 닦고 그녀는 꽃다발을 비닐봉지에 버렸다. 일반 쓰레기 사이에 섞인 꽃의 모습을 잠시나마 멍하니 바라봤다.

　한봄은 짧게는 일주일, 길게는 열흘 간격으로 매번 꽃병의 물을 갈았다. 빛이 좋은 정오면 햇빛 좀 먹으라며 테라스에 내놓았고 저녁이 되면 방으로 데려와 함께 잠들었다. 그렇게 정을 붙였던, 이제는 시든 꽃에서 아직 피우지도 않은 꽃봉오리를 발견할까 봐 한봄은 쓰레기 봉지를 외면했다.

　어느새 다가온 백승석이 싱크대 물을 틀었다. 투명한 꽃병에 금세 물이 담겨 분수처럼 뿜어져 나왔다. 바깥에서 매미는 시끄럽게 울었고 축축한 공기가 팔뚝을 감쌌다. 백승석은 새로 만들어온 꽃다발과 차사의 은색 가위를 들고 부엌으로 향했다. 꽃줄기에 묶인 철사를 풀고 식탁 위에 펼쳐놓았다. 그가 꽃머리를 붙잡고 다른 손으로 줄기를 훑어 내리자 잔가지가 우수수- 떨어졌다. 한봄은 꽃을 능란하게 다루는 그의 손이 참 곱다고 생각했다.

차사 한봄의 생애 첫 파견지는 주상복합 아파트였다. 그곳 1
층에 백승석이 운영하는 꽃집이 있었던 것은 기가 막힌 우연이
었다.

당시는 집집마다 휴대폰은 차치하고 거실에 집전화도 들여놓
기 힘든 시절이었다. 지금보다도 피골이 상접했던 한봄은 사나
흘 굶다가 결국 허기를 이기지 못하고 몸을 일으켜 1층 구멍가
게로 향했다.

'저승에 있을 때가 편했는데.'

한봄은 시간만 되면 배가 고프다고 울어대는 오장육부가 귀
찮았다. 그녀는 몇 번이나 생을 바쳐 염라에게 돌아가고 싶은 의
사를 표했지만 받아들여지지 않았다. 이것은 지키지 못한 약속
에 대한 심판인가? 저승 왕은 자신의 권고를 무시하고 떠났다
돌아온 탕아를 더욱 멀리 쫓아냈다.

한봄은 비상구로 향했다. 아파트 중앙에는 엘리베이터 한 대
가 작동했지만 이용하는 승객은 적었다. 올라탈 때마다 땅으로
꺼졌다 솟아나는 아찔함 때문이었다. 한봄은 계단을 설설 걸어
내려갔다.

그녀가 막 보름달처럼 둥근 크림빵을 집어들었을 순간이었
다. 가게 주인과 손님이 은밀히 대화를 나눴다.

"거기 1층 상가에 생긴 꽃집 가봤어?"

"꽃집?"

"그래! 새벽마다 양재에서 꽃을 떼어와 판다니까?"

"졸업할 때 아니면 꽃을 누가 산다고 장사를 한대?"

"아유, 들어봐! 그 꽃집 사장이 말이야, 저기 504호의 고시 준비하는 영미네 아들보다도 젊어 보이는데, 아주 멀쑥하니 사윗감으로 제격이야."

가게 앞만 지나가도 꽃향기가 폴폴 나는 게 기분이 절로 좋아진다는 구멍가게 주인의 말이 한봄의 귀에 박혔다. 그녀는 평소 하지도 않던 산책을 핑계로 꽃집 앞에 섰다. 가게 앞에는 우산꽂이로 쓸법한 통이 즐비했다. 그곳엔 장미, 안개꽃, 국화, 수국, 카네이션 등이 네다섯 단씩 묶여 담겨 있었는데 저마다 싱그러운 향기로 행인을 사로잡았다.

한봄은 개업을 축하하는 화단 하나 없는 꽃집을 바라보았다. 초록색으로 칠한 현관문은 고깃집에서 쓸법한 철제 미닫이였는데, 그 중앙 유리에 커다란 글씨로 '꽃집'이라고 써두어 자신의 정체성을 밝혔다. 사람들이 드나든 적 없다는 걸 시인하듯 문을 뻑뻑했고 한봄은 비쩍 마른 팔뚝으로 힘을 힘껏 줘야 했다. 미닫이문이 요란한 소리를 내며 손님 입장을 알렸다.

"어서오세요."

사장이 뒤도 돌아보지 않고 인사했다.

그날의 백승석은 딱 오늘처럼 장미를 손질하고 있었다. 한봄은 처음 그를 맞닥뜨렸을 때처럼 감탄을 터뜨렸다.

"오늘 얼굴, 내 취향이야."

"그럼 지금까지는 뭐였는데?"

백승석이 어이없어하며 물었다.

그는 꽃병에 꽂힌 꽃줄기를 올렸다 빼며, 높낮이를 조절했다. 한봄은 그를 구경하며 싱크대에 엉덩이를 기댔다. 물론 걔네도 좋아했죠, 하고 답했다. 백승석이 헛웃음을 쳤다.

오후가 지나도록 둘은 말없이 일상을 함께했다. 청소기를 돌리고 창문을 열어 환기했다. 민이 슈퍼에서 이런저런 장도 봐왔다.

두 사람 다 간단하게 해먹을 수 있는 파스타를 선호했다. 양파와 마늘을 싫어하는 백승석을 대신해 한봄이 칼질해서 주면 그가 프라이팬에 올리브유를 한 바퀴 돌려 볶았다.

식사를 마친 후에는 눈부신 여름 속에 함께 앉아 TV를 보았다. 한봄은 주요비가 두고 간 바다사자 인형을 품에 안았고 인형을 안은 그녀를 백승석이 껴안았다. 평일의 안식으로 가득한 저녁에 팝콘 씹는 소리가 울려 퍼졌다. 그들은 9시 뉴스를 시청했다.

"세상은 참 안 변해. 예전이나 지금이나 사건, 사고는 결이 비

숫하거든."

백승석이 실소를 터뜨렸다.

한봄이 뒤돌아봤다. 그의 날 선 턱에 정수리를 부딪혔지만 아픈 기색 없이 백승석을 바라보았다.

"그래요, 아가?"

예상치 못한 부름에 백승석이 "풉!" 하고 웃음을 터뜨렸다. 한봄의 빰까지 침이 튀었다. 그가 미안, 하고 입을 가렸다. 입가에 맺힌 침을 닦아내면서 잔잔하게 웃었다. 허파의 진동이 그녀의 등으로 느껴졌다.

"아직도 그렇게 불러?"

백승석이 소파 팔걸이에 턱을 괴며 물었다. 나른하게 뜬 눈동자에는 은근한 기대감이 맴돌았다.

한봄은 고개를 끄덕였다. 사람의 천수를 관철하는 길강욱은 백승석을 갓난애라고 불렀다. 그가 앞으로 살 나이에 비하면 아직 한참 어리다는 게 이유였다. 백승석이 더 크게 웃었다. 이 나이에 아기 취급은 처음이라며, 오직 차사 둘만이 자신을 그렇게 부를 수 있을 거라고 즐거워했다. 한봄은 기쁨을 머금은 그의 얼굴을 한동안 바라보았다.

뉴스 소식은 백승석의 말마따나 옛날의 그것과 비슷했다. 가슴 따뜻해지는 일은 가뭄에 콩 나듯이 보도됐다. 그럼에도 아홉 번의 슬픔 끝에 한 번의 기쁨으로 다시 일어서는 사람들의 생명력이 신기했다.

앵커가 뽑은 오늘의 헤드라인은 무난했다. 무난한 하루를 보낸다는 것은 얼마나 대단한 일인가. 모 시청의 공무원이 수억 원을 공금 횡령하고 기초생활 수급에서 탈락한 노인이 객사하더라도 세상은 돌아갔다. 성추문을 연이어 터뜨리고 세상을 등진 국회의원과 화재 사고에서 순직한 소방 공무원의 죽음의 무게는 같았다. 그러나 그들의 삶의 무게는 과연 같았는가를 한봄은 묻고 싶었다.

세상은 변하지 않는다. 강자가 약자를 겁탈해도 무죄. 그녀는 남몰래 찍은 사진이나 동영상으로 돈을 버는 자본주의가 괴이했다. 부정한 이들의 진흙탕 싸움은 새로운 분란에 덮이고 무고한 사람들만 고약한 술수에 속는 사회. 그런 세상에서 착한 사람들은 너무 빨리 저승줄을 탄다.

백승석이 채널을 돌렸다. 다른 방송국에서는 첫 뉴스부터 안타까운 소식을 보도했다. 앵커도 심각한 표정으로 유감을 표했다.

"○○아파트에서 일가족 3명이 숨진 채 발견됐습니다. 흉기에 찔린 흔적이 보였지만 경찰 관계자에 따르면 이들 부부는 최근 일자리를 잃고 생활고로 얻은 사채 때문에 극단적 선택을 했을 가능성이 높다고 합니다. 그리고 그 자리에 함께 있던 여섯 살 된 아들도 안타깝게 세상을 떴다는 소식입니다. 박기중 기자입니다."

앵커의 말을 끝으로 관련 화면이 나왔다.

허름한 아파트 외부, 컷. 사람들이 모여 있는 라인 입구, 컷. 모자이크 처리된 행인들, 컷. 경찰차 전경, 컷.

"다른 거 볼까?"

백승석이 조용히 리모컨을 들며 물었다.

"아니."

한봄은 거절했다.

"동료의 탄생인데 지켜봐야죠."

그녀는 TV에서 시선을 떼지 않았다.

백승석이 낮게 말했다.

"길강욱에게 내일 전화 오겠군."

아가 소리 듣는 건가? 그가 야심찬 농담을 던졌지만 한봄은 웃지 않았다. 안타까운 소식을 전하는 취재 기자의 말이 끝나고 나서야 그녀는 소파에서 몸을 일으켰다. "팝콘 더 먹을래." 하면서 부엌으로 향했다.

한봄은 선반에서 전자레인지용 팝콘을 빼들며 생각했다.

'내일 정말 전화 오겠네.'

한봄은 침대에 누워 백승석을 빤히 바라봤다. 사내는 간헐적으로 찾아와 한밤의 신기루처럼 사라지곤 했다.

둘은 주로 뜬눈으로 새벽을 지새웠다. 마주본 서로의 눈동자에 떠오르는 희미한 여명의 그림자로 하루가 지났음을 깨닫곤 했다. 길지 않은 만남임을 알기에 두 사람은 더욱 이별이 아쉽지 않게 대화했다. 백승석은 자신의 일이 있었고 한봄은 그를 미련 없이 보내줬다. 붙잡지 않는 사람한테 "더 있을까?" 하고 백승석은 묻지 못했다.

한봄이 읊조렸다.

"어디서 이런 사람이 굴러왔을까?"

"오늘 무슨 날이야?"

백승석이 놀란 눈을 했다. 한봄은 속마음에 솔직한 편이었으나 때로는 마치 죽음이 재봉한 것처럼 입술을 걸어 잠갔기 때문이었다. 백승석은 사랑받는 기분이라고 중얼거리며 나른하게 미소 지었다.

한봄은 가끔 신의 존재를 느끼곤 했다. 먹구름을 뚫고 내린 한 가닥의 빛에서, 바람 한 줌에 휩쓸린 벌건 단풍잎의 낙하에서, 켜켜이 쌓인 푸른 능선과 그 위를 지나는 구름의 거대한 그림자에서, 살고 싶다고 불타는 동아줄에 매달린 사람을 품에 안는 용기에서, 보호자 팔에 길쭉한 주둥이를 걸치는 강아지의 콧김에서, 사랑하는 사람과 마주잡은 손에서, 서로의 어깨에 기대어 잠든 침대에서. 그렇게 맞이한 오늘의 아침처럼, 신의 성체까지는 아니지만 당신의 숨결이 뺨에 닿았노라고 한봄은 착각에 빠지곤 했다.

"전생에 나라를 구했나요?"

절세미인이네. 매미의 울음 속에서 한봄이 말했다.

백승석이 헛웃음을 지었다. 잠에서 깨어난 강아지처럼 요란하게 기지개를 켜더니 한봄의 허리 뒤로 깍지를 꼈다.

"아니지. 나는 경국지색이라 나라를 말아먹었을 거야."

백승석은 질 나쁜 농담에 어울릴 줄 아는 사람이었다. 그는 한봄의 얼굴을 살피더니 작게 한숨을 내쉬었다. 이제 가봐야 해, 라며 몸을 일으켰다.

백승석이 벗어두었던 긴팔 셔츠에 팔을 끼워 넣었다. 그들은 마치 서로의 애틋한 마음을 들키지 않기로 약조한 사람들처럼 태연하게 작별을 고했다.

네가 불안해하지 않았으면 좋겠어. 백승석은 그 말을 삼켰다. 아직 이불 속에 파묻혀 있는 한봄에게 걱정 대신 "다음에는 더 예쁜 꽃으로 가져올게."라고 말하며 기약 없는 다음을 기약했다.

백승석이 단추를 다 채우고 일어섰다. 한봄은 대답 없이 머리를 정리했다. 그가 곧 떠날 걸 알면서도 창밖만 바라봤다. 저기 주차장에 그의 차가 서 있었다. 작년 여름, 일산화탄소에 중독된 주요비가 저곳에서 구조됐었다.

"다음에는 더 오래 있을게, 미안."

백승석이 사과했다. 활짝 핀 웃음이 꽃보다 예쁜 그가 씁쓸한 표정을 지었다. 꽃병에서 가장 싱싱한 꽃줄기를 빼와 한봄의 귓가에 꽂았다. 한봄은 고맙다는 말이 너무 가벼워서, 연인의 뺨에 묻은 아침 햇살을 털어주었다.

그녀는 이전부터 꺼낼까 말까 고민했던 속마음을 털어놓았다.

"다음부터는 안 가져와도 돼."

사람 손에 꺾인 한 줌의 꽃다발보다 땅에 뿌리 내린 억센 야생화가 좋았다. 그녀는 차마 꽃 가져올 시간에 차라리 빨리 오라고, 솔직한 감정을 드러내지 못한 채 마을의 자랑을 소개했다. 예전 어느 경비원이 그랬던 것처럼.

"대신 같이 산책하러 가자. 여기 봄이면 예쁜 꽃이 피어."

당신이 분명 좋아할 거라며 시선을 회피하는 그녀의 목덜미가 붉었다. 달아오른 귓불에서 시선을 떼지 못한 백승석이 천진난만하게 웃으며 "기대할게." 하고 대답했다.

사 랑 을 몰 라   권 은 경

언젠가는 사랑이 올 줄 알았다, 한 줌의 흙으로 돌아가기 전에. 아니, 진실한 마음으로는 그보다 더 빨리 평생을 아껴줄 사람이 찾아오길 바랐다.

서른이 끝나기 전에는 오겠지. 더위가 가실 무렵이나 첫눈이 올 즈음이라도. 아니면 첫눈이 녹더라도 상관없으니 누군가 하루아침에 나타나 자신을 꽉 끌어안아주기를 권은경은 바랐다. 그렇게 허망한 사계를 보내고 잔인한 봄이 돌아왔을 때 그녀는 또다시 조급함에 속아 거짓 사랑을 사랑이라 믿은 적이 있었다.

누가 그녀를 보고 사랑을 불신한다 말할 수 있을까. 다시없을 순애보가 여기 있었다. 다만 남은 일생 옆구리를 붙이고 살 상대를 학수고대하기에는 이제 지친 영혼과 혼자 사는 것이 습관처럼 굳은 육신이 남았을 뿐.

짝을 구하는 일은 지겨웠다. 신파는 권은경 성격에 맞지 않았다. 그녀는 이만 이승의 삶을 정리하고자 했다. 저승에서만큼은 대한민국 여자로서 독박 썼던 굴레에서 벗어나고 싶었다.

권은경은 우체국부터 찾았다. 가는 길에 은행에서 1만 원권을 뽑았다. 가장 큰 택배 박스는 5호였다. 그녀는 박스 네 개를 옆구리에 끼고 번호표를 뽑았다. 접수대 앞에는 동전을 구분해 놓은 아크릴 박스 두 개가 붙어 있었다.

"카드는 앞쪽에 꽂아주세요."

직원이 사무적인 태도로 말했다.

지폐를 손에 쥐고 있던 권은경이 다급하게 지갑을 꺼냈다. 카드를 찾아 단말기에 꽂아 넣었다. 그녀는 안경을 추켜올리며 당혹스러운 마음을 숨겼다. 5호 박스 네 겹은 생각보다 두꺼웠다. 목발을 짚듯 한껏 안아 들자 겨드랑이가 뻐근했다.

'종량제 봉투나 살걸.'

권은경은 후회가 들었지만 곧 끝날 일이라며 차분하게 속을 달랬다. 짜증을 내어서 무엇 하나. 그녀는 더 이상 자신에게 인색하게 굴지 않기로 했다. 죽는 순간에야 욕심을 버리게 되었다.

삶이란 무엇일까. 사십이면 알 줄 알았는데, 인생은 멈출 줄 모르고 덧없이 데굴데굴 굴러만 갔다. 어떤 삶을 삶고 싶은지

진작 스스로에게 물었어야 했다. 권은경은 너무도 많은 갈림길을 고민 없이 선택했고 쉼 없이 걸어왔다. 남들 다 가는 길 위에 정작 권은경의 삶은 없었다. 그녀는 제 인생이 꼭 어젯밤 먹다 남은 간편 조리 식품 같다고 생각했다. 성대한 만찬은 번거롭고 건강하기에는 부족한, 전자레인지 열이 미적지근하게 남아 있는 어젯밤의 음식. 딱 그 정도 요깃거리.

이팔청춘 때는 천방지축 꿀벌처럼 비행했다. 지칠 줄 모르고 동서남북을 쏘다녔다. 그러다 맞이한 스물여섯, 꼬랑지 벌침은 어디에 떨궜는지 간데없었다. 불안한 마음은 안정적인 보금자리를 원했다. 친구들은 하나둘 안락한 가정에 정착했고 그들을 따라 결국 권은경도 근처에 보이는 꽃에 자리를 잡았다. 영원한 비상을 꿈꿨었던 날개를 접고 착실히 꿀을 모았다.

서른 중반이 넘어서야 그녀는 양껏 모아온 것들이 부질없음을 알아챘다. '그때 꽃에 앉지 않았다면 어땠을까?' 하며 뒤늦은 후회를 했지만 재기할 동력조차 세월에 빼앗긴 날개는 쓸모를 다한 채 어느덧 마흔을 맞이했다.

빛나는 비혼, 멋진 여성, 그런 말들은 오전에 그녀를 비추다가 밤이 되면 사라졌다. 파도처럼 덮쳐 오는 외로움에 밀려났다. 멋진 여성에게도 고독은 존재했다.

'인생 별거 있나.'

별거 아닌 걸 정리하듯 사라질 거라고 권은경은 다짐했다. 그
녀는 5호 박스를 접어서 안쪽에 공간을 만들었다. 사회 초년생
때부터 매년 제작했던 사진첩을 그 안에 쓸어 넣었다. 가구를
제외한 잡동사니는 모두 들어갈 줄 알았는데 박스 네 개가 벌써
고봉밥처럼 수북해졌다. 미니멀리스트로 살아온 삶은 생각보다
가득 차 있었다.

생활필수품 하나하나가 짐이었다. 벽걸이형 TV, 2m 길이의 스
탠드 전등, 800cm 폭의 나무 책상, 인덕션, 전자레인지, 퀸 사이
즈의 침대 매트리스, 거실용 라운드 테이블, 앤티크 풍 신발장까
지. 경비실에서 사온 폐기물 스티커가 동났다. '죽기도 힘드네'라
는 생각이 절로 났다.

권은경은 거실에 걸린 시계를 돌아보았다. 시침이 오후 1시를
가리켰다. 오늘의 일몰 시각은 오후 6시 13분까지는 대략 5시간
이 남았다. 권은경은 보름줄을 잡을 생각에 마음이 급해졌다.

전날 예약해둔 폐기물 수거 회사는 남의 속도 모르고 오후
4시가 되도록 나타나지 않았다. 부재중 전화를 수차례 남긴 후
에야 회사 사장은 전화를 받았다.

"오늘이 제 결혼기념일이라서요."

그는 직원에게 미리 말해두었는데 아마 실수로 예약을 잡은
모양이라며 연신 죄송하다고 말했다.

이런 무책임한 자영업자가 다 있나. 월급쟁이는 속으로 혀를 찼다. 그녀는 어쩔 수 없이 스스로의 짐을 정리해야 했다.

9월 끝자락에 무더위가 기승을 부렸다. 이상고온현상으로 인해 사람들은 서랍장에 넣어둔 반팔을 다시 꺼내 들었다. 습한 날씨 탓에 몸은 땀으로 목욕한 듯 찝찝했다. 그녀의 이마 위에도 땀이 송골송골했다. 권은경은 이미 덮개로 싼 벽걸이 에어컨을 슬쩍 쳐다보고는 어쩔 수 없지, 하고 바닥에 주저앉았다.

그녀는 이 삶에 무책임하게 굴기로 했다. 너무한 세상의 잘못을 더 이상 제 탓으로 미루지 않을 것이라고 다짐했다.

권은경은 각오에 찬 걸음으로 안방에 들어섰다. 여닫이 옷장을 벌컥 열어 가장 아끼는 원피스를 꺼냈다. 푸른색 꽃무늬가 인상적인 민소매 원피스, 하얀색 원단 위로 기하학적으로 피어난 연속무늬는 터키의 어떤 사원을 떠올리게 했다. 무릎 위를 살짝 덮는 기장, 엉덩이를 조이는 타이트함, 볼록한 뱃살을 유독 강조하는 허리선 때문에 권은경은 사놓고 한 번도 입지 못한 옷이었다. 예쁘지만 실용성 없는 관상용 기성복. 젖몸살 앓을 리 없는 제 가슴이나 기능을 잃은 자궁과 비슷하다고 그녀는 생각했다.

권은경은 자궁 적출을 위해 산부인과에 들렀던 일을 떠올렸다.

"쓸 일이 없을 것 같아요. 그럼 없어도 되지 않을까요?"

그러면 안 됐는데, 권은경은 미적지근하게 의견을 표출했다. 그녀는 여태까지 그 일을 후회했다. 직장에서는 능력 좋은 차장님으로 통하는 그녀가 어느 순간부터 '일반적인 여자' 이야기만 나오면 위축됐다. 연애나 결혼, 출산과 육아담을 기피했다. 그것들이란 외계인과의 천왕성 산책처럼 머나먼 별나라 이야기로 다가왔다.

의사는 단호하게 거절했다.

"아직 미혼이잖아요."

그는 권은경이 혹여 늦게라도 결혼을 한다면 오늘의 선택을 후회할 것이며, 심할 경우 우울증이 올지도 모른다고 경고했다. 현재의 상담 자체가 무의미하다는 듯 심드렁하게 대꾸했다.

"그리고 성감이 떨어집니다."

의사는 부인의 자궁 적출로 인해 부부 관계가 소원해진 경우를 많이 봤다고 설명했다. 그러니 여성성을 상실하는 행동은 자제를 부탁했다. 하지만 성관계를 맺을 남자도 없는 싱글에게는 와닿지 않는 상담이었다.

마흔은 임신하면 주변에서 걱정을 '해주는' 나이였다. 권은경의 직장 동료, 신 차장은 서른아홉에 첫째를 가졌다. 그녀는 병원에서 기형아 검사 1차, 2차뿐만 아니라 노산 산모가 받으면 좋을 염색체 검사, 정밀 초음파 등등이 추가되어 20대 산모보다 백몇만 원을 더 썼다고 했다.

"고령 임신은 어디 서러워서 살겠니?"

신경화가 흑임자 가루처럼 보이는 생식을 물에 타며 고개를 저었다. 그녀는 임신 때문에 승진에서도 밀려났다. 윗사람의 변명은 성의가 없었다.

"신경 쓸 게 많으면 태아한테 안 좋을까 봐 그랬지."

방귀 같은 소리를 들었다며 신 차장이 하소연했다. 대표의 뻔뻔한 면짝을 떠올리며 그녀는 오징어 다리를 잘근잘근 씹어 먹었다.

권은경이 가장 아끼는 원피스를 아직 한 번도 입지 못한 이유는 불편한 착용감보다 타인의 시선이 두려웠던 소심함 때문이었다. 살 처진 팔뚝이 신경 쓰였다. 푸짐한 저녁 식사를 하면 뱃살이 흉하게 접힐까 봐 약속에도 입고 나가지 못했다.

이제 와보니 쓸모없음에 너무 많은 쓸모를 쏟고 살았다. 경제력을 초과한 소비 습관을 유지하기 위해 권은경은 카드 한도처럼 제 쓸모를 매번 갱신해야 했다. 눈칫밥 얻어먹으며 품위 유지비를 벌었다.

죽고 싶었던 서른다섯 살. 그녀의 휴대폰은 부재중 전화로 꽉 찼고 뇌수는 무기력했다. 아침이면 꼬박 시리얼로 채워줬던 배가 꼬르륵- 공복을 알렸다. 당장 죽더라도 배는 고팠고 권은 경은 왜인지 강된장이 너무도 먹고 싶었다.

수능을 끝마치고 홀로 먹었던 강된장은 눈물 나도록 맛있었다. 학생 권은경은 기사식당에서 발을 동동 굴렀다. 된장에 여러 건더기와 육수를 붓고 되직하게 끓인 이 음식은 감칠맛은 물론이요, 코를 휘감는 짭조름한 된장 냄새가 일품이었다.

'자기들만 알고!'

권은경은 주변 어른들을 못마땅하게 둘러봤다. 소녀는 얍삽한 그들과 달리 친구들과 맛있는 음식을 공유할 것이라고 마음먹었다.

다음날, 고3의 과업에서 벗어난 학생들은 마음이 붕 떠 있었다. 한 친구가 어제 짜장면을 먹으러 갔는데 약속이라도 한 듯이 그곳에서 반 친구들 부모님은 다 만난 것 같다고 말했다. 모두 웃은 농담에 권은경은 웃지 못했다. 강된장 먹어 봤느냐는 질문은 꺼내지도 못했다.

'언제 이렇게 나이가 찼지?'

계속해서 울려대는 휴대폰에 권은경은 몸을 일으켰다. 후우- 단전에서 끌어올린 한숨을 내뱉었다. 후배는 출근하지 않은 권 선배님을 부르짖으며 우는 이모티콘을 잔뜩 남발했다.

권은경은 문자메시지를 전송했다.

미안 지금 가!

망설이다가 느낌표를 덧붙였다. 황급히 외투를 걸치며 신발장으로 뛰어갔다.

'미안하다니, 누구한테?'

의문이 떠올랐지만 우선은 마저 신발을 신었다. 버스 정류장을 향해 달렸다. 서른다섯의 권은경에게 절실했던 것이 업무 복귀였는지 아니면 따뜻한 집밥이었는지, 지금은 알 수 있었다.

권은경은 바라던 대로 무방비하게 일몰을 맞이했다. 세탁소 옷걸이에서 원피스를 빼입었다. 거울에 비친 모습을 차분히 응시했다. 어중간한 키에 어중간한 몸매를 가진 권은경은 길을 지나가는 '행인 1'처럼 모든 것이 평범했다. 외적으로 특이한 점이라면 도수 높은 동그란 안경과 턱 아래의 큰 점이 다였다. 어릴 적 그녀는 사람들의 시선을 끌기 위해 일부러 깔깔 웃는 연습을 했고 그렇게 후천적으로 습득한 호탕한 성격을 최고의 무기로 내세웠다.

권은경은 제 장례식 풍경을 그려보았다. 조문객들은 칙칙한

정장 대신 그들이 저승길에 뻗쳐 입을 옷을 준비해야 할 것이다. 색은 밝을수록 좋다. 최고의 멋쟁이는 상도 주고. 누구도 완장은 차지 않을 것이다. 국화는 밋밋하니 대신 줄기가 굵은 해바라기로 가득 찬 관이 장례 의식의 피날레가 되리라고 권은경은 예상했다.

이미 장례식장은 예약을 마치고 잔금을 치렀다. 상조 회사가 돈을 떼먹을지 말지를 두 눈 뜨고 확인해줄 대리인으로는 후배를 동의 없이 세워뒀다. 이제는 어설픈 신입사원의 티를 벗은 강 대리가 장례식장에서 아직도 권 선배를 찾으며 울까 봐, 권은경은 벌써부터 미안한 마음이 들었다.

그녀는 안방에 들어섰다. 꼭 끼는 엉덩이를 들썩이며 매트리스에 앉았다. 통화 중에 침대를 벗어나면 죽는다는 도시 괴담이 불현듯 떠올라 권은경은 침대 정중앙으로 이동했다. 오늘 죽을 예정이지만 계획에 없는 비명횡사는 사절이었다.

그녀는 다리를 죽 뻗고 침대 헤드에 등을 기대앉았다. 휴대폰으로 시간을 확인했다. 오후 6시 11분. 발 빠른 이승 사람들의 전화줄이 수직 상승하기 시작했다. 권은경은 심호흡을 했다. 이왕이면 평온하게, 자연사한 사람들처럼 떠나고 싶었다.

그녀도 휴대폰을 집어 들었다. 화면을 켜고 아까 인터넷으로 찾아보았던 전화번호를 입력했다. '우리 동네 저승차사의 대리인 번호는 *01-1009#이었다. 그녀는 차례대로 숫자를 눌렀다.

침이 꿀꺽 넘어갔다. 자신의 죽음을 신청하는 통화라고 생각하니 긴장감에 가슴이 뛰었다. 그때 손에서 투명한 아지랑이가 피어났다. 중국 당면처럼 생긴 것이 창밖을 향해 스멀스멀 피어나더니 붉은빛으로 몸통을 천천히 물들였다. 권은경은 하늘을 향해 날아가는 전화줄을 몸까지 틀어 구경하다가 황급히 자세를 다잡았다. 지루한 대기 시간을 달래주는 아무런 배경 음악도 없이 그녀는 몇 분을 기다렸다.

너무 늦게 전화를 건 것일까. 창밖에 비치는 3동의 8층 사람은 이미 누군가와 이야기를 나누고 있었다. 손에 전화기를 쥐고 함박웃음을 지었다. 권은경이 초조한 마음으로 안경을 들어 올린 순간, 전화기 건너편에서 치지직- 하고 잡음이 섞여 나왔다. 스산한 기운에 오소소 소름이 돋았다.

"안녕하십니까. 통화국 대리인 한봄입니다. 저승에 접속하시겠습니까?"

고저 없는 목소리가 섬뜩했다. 펄랭이 마을의 저승사자는 주민들과 말을 섞지 않았다. 눈이 마주쳐도 금방 시선을 회피했다. 젊은 사람이 참 곰살갑지 못하다고 권은경은 생각했다. 조금만 유연하게 행동해도 삶이 편안할 텐데, 한봄은 꽁꽁 얼어붙은 호수로 머물러 있었다.

"안녕하세요."

권은경이 조심스럽게 인사를 건넸다.

"오늘 사망 신청을 하려는데요."

상대방은 잠시만요, 하고는 아무 말이 없었다. 무언가를 확인하는지 수화기 너머로 종이 넘기는 소리가 들렸다.

"사망 신청이라면 돌아오는 그믐날인 양력 10월 3일을 말씀하시는 거겠죠? 오늘 전화줄이 끊기기 전에 # 버튼을 누르시면 자동으로 신청 예약이 됩니다. 물론 승인 처리와는 별도로 신청 금액이 청구될 수 있습니다."

통화국 대리인이 사무적으로 안내했다. 권은경은 그녀가 무슨 말을 하는지 제대로 이해하지 못했으나, 잘못하면 오늘 죽지 못할 수도 있다는 것만은 눈치챘다.

권은경이 다급하게 물었다.

"오늘 바로는 안 되나요?"

통화국 대리인이 침묵했다. '무엇이' 안 되는지를 가늠하는 듯했다. 얼마 안 있어 한숨 섞인 대답이 수화기를 넘어왔다.

"오늘은 그믐날이 아닙니다. 보름달이 뜬 보름날에는 망자와의 전화 연결만 가능합니다. 사망 신청이 아니고요, 권은경 님."

"아, 그렇군요."

권은경은 민망함에 얼굴을 붉혔다. 오늘 하루는 마치 자신이 얼마나 삶에 능숙하지 못한지를 체험하는 날 같았다. 통화국 대리인은 그녀가 어떤 대답을 꺼내기도 전에 이어 말했다.

"또한 확인해본 바로는 02-0815 님은 오늘 전화 연결 서비스 이용이 처음이시네요. 통화 신청은 사전에 통화국 웹사이트나 어플리케이션을 통해서도 가능하오니 다음에는 참고 부탁드립니다."

권은경은 일단 그냥 알겠다고 답했다.

"다시 말씀드리지만 돌아오는 그믐날에 사망을 희망하시는 경우, 오늘 망자와의 연결이 끊기기 전에 # 버튼을 누르시면 됩니다. 전화줄 연결은 당일도 가능한데 결제해드릴까요?"

"해주세요."

"네, 그럼 이제 연결 방법을 안내해드리겠습니다. 마음속에 통화를 원하는 망자를 떠올리시면 자동적으로 그분과 접속됩니다. 전화 가능 시간은 18분으로 모두에게 동일하기 때문에 권은경 님의 오늘 연결 시간은 조금 짧을 수 있습니다."

그녀는 부득이한 경우를 미리 공지해둠으로써 제 살길을 열어두었다. 권은경은 상관없으니 결제해달라고 부탁했다.

통화국 대리인이 마지막으로 말했다.

"한 번 결제한 통화 금액에 대해서는 승인 건뿐만 아니라 저승이 불허한 경우, 망자가 거절한 경우에도 환불은 불가능하며 다음 달 휴대폰 요금으로 66만 8백 원이 자동 청구됩니다."

무슨 바겐세일 같은 요금에 권은경은 부아가 치밀어 올랐지만 교양 있게 인내했다.

"그렇게 해주세요."

또다시 종이 넘기는 소리가 수화기 너머에서 들려왔다.

권은경은 창밖을 바라봤다. 칼칼해진 목구멍에 침을 삼켜 넘겼다. 맞은편의 8층 남자는 울부짖고 있었다. 침대에 얼굴을 묻고 머리를 찧어댔다. 햇살 같은 미소를 지었던 좀 전의 사내와 동일 인물이 맞는지 의심이 될 정도였다.

권은경은 눈시울을 붉혔다. 타인의 감정에 동조하며 자신은 과연 8분 남짓한 시간 동안 누구를 떠올려야 할지 고민했다. 긴장과 설렘, 두려움으로 몸이 떨려왔다. 그녀는 죽어서도 만나고 싶은 지인 몇 명을 막연히 떠올리며 휴대폰을 힐끔 바라봤다. 아까 목도했던, 아지랑이처럼 전화줄이 피어나는 신비한 광경을 다시금 눈에 담고 싶었지만 그녀의 줄은 다른 이들의 것과 다르게 연분홍빛을 띠었다. 흐물흐물- 허공에 흔들리던 천이 이내 불에 타들어가듯이 형체도 없이 사라졌다.

그때 수화기 너머에서 목소리가 넘어왔다.

"권은경 님의 전화 신청은 불허합니다."

"왜요, 아니 누가요?"

권은경이 발끈했다. 내일의 삶은 그녀의 계획에 없는 일이
었다.

　　통화국 대리인이 피곤에 지친 듯이 한숨을 내쉬었다. 처음으
로 감정 섞인 대답을 내놓았다.

　　"저희 사장님이요."

그렇게 권은경의 사망 신청도 보류됐다.

다음날, 출근하는 광역 버스 안에서 그녀는 저항 없이 덜컹거렸다. 어젯밤만 떠올리면 헛웃음이 나왔다. 오늘도 결국 반복되는 일상이, 특히 10년 넘게 근속한 화장품 회사에서 동료들과 아침 인사를 나누는 이 순간이 꿈만 같았다.

권은경은 의자 위에 가방을 올려두어 출근을 표시하고는 화장실로 도망쳤다. 직장인의 쉼터인 변기에 걸터앉아 통화국 고객 센터에 전화를 걸었다. 간단한 문의 사항은 온라인 상담을 통해서도 해결 가능하다는 말을 무시한 채 상담원 연결을 위해 0번을 눌렀다.

"통화국 고객 센터 상담원 정한영입니다. 무엇을 도와드릴까요?"

상담원이 금방 응답했다.

권은경은 급하게 본론에 들어갔다.

"안녕하세요, 제가 어제 전화 신청을 거절당했는데 이유를 알 수가 없어서요."

"고객님, 안녕하세요. 원활한 상담을 위해 전화주신 분의 성함과 생년월일을 말씀해주시겠습니까?"

정한영은 꼼꼼하게 본인 확인 절차를 진행했다. 통화 신청이 거절되는 이유로는 크게 두 가지가 있다고 밝혔다.

"권은경 님은 저승에 소중한 사람이 있나요?"

정한영이 친절한 말투로 대뜸 물었다.

"그게 무슨 말이죠?"

권은경이 반문했다.

"저승에 소중한 사람이 없다면 사망 신청은 받아들여지지 않습니다."

"어째서죠?"

권은경은 괜스레 억울한 마음을 감출 수 없었다. 계획대로 흘러가지 않는 하루하루는 그녀에게 편두통과 위장병을 안겨주었다. 그녀는 관자놀이를 꾸욱 눌러 지압했다. 나약한 눈물을 삼키며 물었다.

"당신들도 사람이에요?"

정한영 또한 곤란하긴 매한가지였다. 지난주 서비스 교육을 마치고 실전에 갓 투입된 신입사원은 매뉴얼대로 고객을 응대했을 뿐이었다. 상담원이 고객에게 제공할 수 있는 정보는 한정적이었다.

정한영은 마침 오늘 출근길에, 민원 발생 시 팀장에게 불려가 가능한 모든 인격 모독을 받을 수 있다던 6개월 차 선배의 경험담을 들은 직후였다. 숨이 턱턱 막히는 100평의 사무실 안에서 수년간 고객을 응대하며 버텨왔을 주변의 선배들이 괴물로 보였다.

정한영은 저도 모르게 감정적으로 굴었다.

"매뉴얼입니다. 저는 일반 서비스직 직원이고 사람 맞습니다. 그리고 많이들 오해하시는데요, 저승차사도 사람입니다."

초보 상담원은 다른 문의 사항은 없는지를 재빠르게 물었다. 차마 먼저 전화를 끊지는 못하고 제발 고객이 먼저 통화 종료 버튼을 눌러주길 바랐다. 동시에 그녀가 지독한 기계치라 민원 넣는 방법도 모르길 간절하게 빌었다.

권은경은 가만히 생각을 정리했다. 제삼자에게 분풀이할 생각은 없었기에 침묵을 지켰다. 길어진 긴장감에 조급해진 것은 상담원 쪽이었다. 정한영이 적막을 깨고 먼저 대안을 제시했다.

"원하신다면 자택으로 안내서를 보내드릴 순 있습니다. '보름줄·그믐줄 신청 안내서'를 주소지로 수령하시겠습니까?"

안내서는 인수결위가 저승 관계자와 함께 집필한 만큼 온라인으로 찾을 수 있는 정보보다 신빙성이 높으며 전문적이라고 정한영이 설명했다. 권은경은 이렇다 할 명쾌한 답변을 얻지 못한 채 주소지만 불러주고 전화를 끊었다. 안내서는 그로부터 일주일 후에 도착했다.

통화국과 관련한 모든 일이 성에 차지 않았다. 권은경은 본격적으로 죽는 방법을 공부했다. 오랜만에 학구열을 불태웠다. 평소 계획적인 성격과 달리 이번에는 '그냥 돈 내고 전화 걸면 끝이다'라는 풍문만 믿고 그믐줄 신청을 얕보았던 것도 사실이다.

끈기 있게 부딪치기는 권은경의 정공법이었다. 그녀는 다시금 연필을 손에 쥐었다. 막 이사 온 듯 텅 빈 집안을 뒤져 수첩을 꺼냈다. 안경을 치켜올리고 팸플릿을 정독했다.

안내서는 복잡한 내용을 쉽게 설명하기 위해 애쓴 티가 났다. 권은경은 화장품 회사의 기획팀 신입에서 차장의 위치까지 오른 만큼 디자인에 예민하게 반응했다. 죽음을 다루다 보니 배경에 일부러 노란색이나 파란색 등 밝은 색상을 사용한 듯했다. 다만 소비자 입장에서는 사용에 따른 부작용이 죽음이다 보니, 고작 3단으로 이루어진 소책자는 과도하게 간소하게 느껴졌다.

그녀는 틈틈이 안내서를 공부했다. 출퇴근길에 소책자를 몇 번이나 손에 쥐었다가 사람들의 시선을 느낀 후부터는 집에서만 공부했다.

통화국을 통한 죽음은 존엄사에 가까웠다. 교통사고 같은 불의의 사고와 달리 스스로 죽음을 선택할 수 있었고 저승에서 승인되면 실제로 죽었다. 권은경은 며칠의 공부 끝에 정리를 마친 수첩을 들여다보았다. 상담원의 말마따나 저승에 소중한 사람이 없는 사람은 죽을 수 없었다. 또한 자본주의 사회 아니랄까 봐 돈이 없다면 전화는 신청조차 불가능했다.

일단 권은경이 파악한 내용은 다음과 같았다.

첫째, 전화 신청자는 전화를 받을 수 있는 공간과 통신 기계가 필요했다. 이는 생자가 저승에 접속할 때 부여받는 코드가 집 번호로 자동변환되는 것에서 이유를 찾을 수 있다. 따라서 생자가 아무리 저승 전화 가능 지역에 살더라도 집, 그리고 휴대폰이나 집 전화가 없다면 망자와의 통화가 불가능했다. 이는 사망 신청 시에도 동일하게 적용됐다.

둘째, 통화 요금으로 66만 8백 원이 필요했다. 보름날의 전화 신청은 이전에 통화국 대리인이 말했던 것처럼 당일에도 가능하며 통화 시간은 18분이었다. 또한 망자와 통화를 끊기 전에 * 버튼만 누르면 자동으로 그다음 보름날의 통화가 예약되었다.

다만 그믐날의 사망 신청의 경우, 인수결위와 저승 모두의 승인이 필요하므로 그 과정에서 소요되는 시간을 계산해보았을 때, 바로 직전의 보름날까지는 망자와의 통화 종료 이전에 # 버튼을 눌러서 저승줄 탈 의사를 밝혀주길 바란다고 적혀 있었다. 마지막으로 그들은 고객의 전화줄 신청을 간소화하기 위해 월정액 결제 시스템을 도입할 예정이라고 굵은 글씨로 강조해서 밝혔다.

이 모든 것은 생자가 전화를 걸었을 때 반대편에서 받아줄 소중한 사람이 존재한다는 전제하에 이루어졌다. 결론적으로 이승에도, 저승에도 소중한 사람이 없는 권은경은 애초에 전화든 사망이든 불가능했다.

그녀는 복잡해진 머리를 싸맸다. 골치가 지끈지끈 쑤셨다. 권은경은 신경질적으로 소책자 뒷면을 펼쳤다. 거기에는 지금껏 사람들의 입방아에 오르내렸던 소문에 대한 답변이 담겨 있었는데 고작 두 가지만 베일을 벗었다.

1. 왜 저승사자라고 부르면 안 되나요?

저승차사에서 '차사'는 '임금이 중요한 임무를 위하여 파견하던 임시 벼슬'을 뜻합니다. 물론 '사자'라는 단어 또한 '명령이나 부탁을 받고 심부름하는 사람'을 의미하기 때문에 이 둘을 혼용하는 경우가 많지만 '저승사자'는 예로부터 죽은 사람의 영혼을 잡아간다는 '귀신'을 지칭할 때 많이 사용하였으니 앞으로는 통화국 대리인들을 '저승차사'라고 불러주시길 부탁드립니다. 기억해주세요. 보름날에는 '통화국 대리인', 그믐날에는 '저승차사'입니다.

2. 보름날에 통화하다가 몸이 침대를 빠져나오면 정말 죽나요?

아니요. 죽지 않습니다.

권은경은 유독 그믐날에 대한 정보가 적은 것에 불만을 품었다. 특히 몇 달 전, 어떤 시사프로그램에서도 다루어졌던 '그믐날 벌어진 망자에 의한 생자의 우발적 자살'과 얽힌 언급은 일절 없었다. 이런 식으로 모호하게 제공되는 정보는 새로운 괴담을 유발했고 종국에는 사용자의 불안감 증폭과 기업에 대한 불신으로 이어졌다. 사람들이 왜 공짜 전화도 마다하고 망자에게 그믐줄 받기를 꺼리는지 이해가 되는 상황이었다.

권은경은 자신이 알고 지냈던 지인 중에 죽은 사람을 떠올려 보았다. 고작 생각난 인물이 고등학교 3학년 때의 담임선생님이라는 사실이 그녀가 살아온 인생을 초라하게 만들었다. 그는 대학 진학을 꿈꿨던 권은경에게 여자애가 가방끈이 길어봤자 소용없다며 이른 취직을 권했던 인물이었다.

권은경은 시간 날 때마다 통화국 고객 센터에 전화를 걸었다. 상담원 연결을 위해 한 달 동안 스물두 번이나 0번을 눌렀다. 최근 통화 기록에 고객 센터 번호가 쌓여갈수록 그녀의 의문점은 사라져갔다.

　　그렇게 맞이했던 두 번째 보름날. 침대에서 바라본 보름달은 휘영청 밝았다. 권은경은 손깍지를 끼고 눈을 질끈 감았다. 간절한 마음으로 고3 담임선생님의 얼굴을 떠올렸다. 타원형 상판에 가득했던 수염 자국, 불규칙한 치열, 안경 뒤로 퀭했던 눈동자까지. 존경하지 않는 은사님과의 추억을 회상하며 권은경은 그의 응답을 기다렸다.

　　각오는 했었지만 역시나 거절이었다. 권은경은 전화줄을 연결하지 못했다. 그믐줄 예약도 자연스레 무산됐다. 그녀는 삶을 끊어낼 수는 없었지만 대신 10년간 근속했던 회사를 그만뒀다. 새벽의 출근 버스를 떠나보내고 권은경은 집 주변 카페로 새로이 출근했다.

　　후우— 권은경이 큰 한숨을 내쉬며 전화기를 들었다. 이제는 제 휴대폰 번호보다 익숙한 8자리 숫자를 누르고 전화기를 귀에 갖다 댔다. 불편한 의자 위에서 엉덩이를 들썩이며 수신을 기다렸다. 오전이 막 지난 거리에는 점심을 먹으러 나온 사람들로 가득했다.

'이제 승부수를 띄울 순간이야.'

권은경은 하루빨리 이 삶을 정리하고 싶었다. 매 보름마다 전화를 받아줄지 아닌지도 장담할 수 없는 인연을 떠올리며 허송세월하고 싶지 않았다. 그렇다고 차도에 몸을 내던지는 짓은 하고 싶지 않았다.

"통화국 고객 센터 상담원 정한영입니다. 무엇을 도와드릴까요."

상담원들은 제각기 개성 있는 어조로 자신의 이름을 밝혔는데 오직 정한영만이 전화 건 고객이 권은경임을 알아챘을 때 대놓고 싫은 기색을 표했다. 권은경은 내부 모니터링을 두려워하지 않는 신입사원의 패기가 대단하다고 생각했다.

"네, 말씀하세요."

그녀의 목소리가 월요일 오후부터 이미 지쳐 있었다. 그간 미운 정이라도 쌓인 것인지 권은경은 상담원이 안쓰러웠지만 남 걱정할 게 못되는 자신의 처지를 상기했다. 그녀는 진상 고객을 자처했다. 해결책이 없다면 해결책을 만들어달라고 요구했다.

정한영이 지금까지와는 다른, 명확한 어조로 이야기했다.

"오랜 회의 끝에 저희 센터와 연결된 인수결위 측에서는 권은경 님의 사망 신청에 대해 최종적으로 승인 처리해드렸습니다. 이렇게까지 전화한 민원인은 또 오랜만이라고, 선배님이 그러시네요."

상담원이 체념한 듯한 어투로 말했다.

"다만 저승 측 입장은 통화국 대리인을 통해 공식적으로 확인하셔야 합니다."

권은경은 또 다른 긴 싸움이 벌어질 것을 예감했다.

상담원은 고객님과 같은 '특이 사망 신청자'의 그믐줄 타는 방법은 통화국 쪽에서 안내해줄 것이라며 자신이 속한 조직은 이만 이 문제에서 손을 떼겠다는 입장을 밝혔다. 권은경은 막상 죽음을 허락받게 되자 기분이 오묘했다.

"그리고 이게 기쁜 소식일지는 모르겠지만……."

정한영이 말을 끌었다.

"이 소식을 전해드리면 오늘 바로 행동으로 옮기실 것 같아서요. 저승 측에 미리 의견을 구해봤는데, 오늘 저녁 7시 30분까지 관할 구역의 통화국 대리인을 찾아 가라는 답변을 받은 상태입니다."

"드디어 한 발자국 뗐네요. 애써주셔서 감사합니다."

그녀는 뛸 듯이 기뻐하며 없던 해결책을 만들어준 정한영에게 감사의 인사를 전했다. 목표에 한 발자국 다가갔다는 성취

감에 뿌듯하면서도 이제 상담원과의 전화가 오늘부로 끝이라는 생각에 내심 아쉬웠다.

잠시 말이 없던 상담원은 "그동안 감사했습니다. 상담원 정한영이었습니다."라는 인사말로 통화를 종료했다.

오후 7시가 조금 지나서 권은경은 민이 슈퍼 앞에 멈춰 섰다. 음료수라도 사가야 하나, 하고 고민이 들었지만 겉치레는 생략하기로 했다.

권은경이 곧장 1009호를 두드렸다. 문이 열리기를 기다리면서 잠시 헝클어진 머리칼을 가다듬었다. 첫인상이 좋아 나쁠 것 없었다. 권은경은 대외용 가면을 얼굴에 얹었다.

저승차사는 누구인지 묻지도 않고 바로 문을 열었다. 그녀는 눈살을 찌푸리더니 가벼운 통성명도 없이 "10분 안에 끝낼 수 있는 이야기일까요?" 하고 손님에게 물었다. 어딘가 조급해 보였다. 권은경은 안경을 끌어올리며 그렇다고 답했고 집주인은 그제야 뒤로 물러서며 길을 터주었다.

"들어오시죠."

한봄의 안내에 따라 권은경이 실내에 들어섰다.

잠깐 둘러본 집 안은 삭막했다. 권은경의 아파트와 똑같은 구조인데도 차사의 집은 유독 사람 걸음 소리가 크게 울렸다.

저녁의 불청객은 두리번거리며 거실을 살펴보다가 불현듯 정신을 차렸다. 한봄은 아무런 설명도 없이 먼저 부엌에 들어가 식탁 앞에 앉았고 권은경도 그녀 맞은편에 착석했다.

"시간이 없어서요."

한봄은 바로 본론으로 들어갔다.

"다시 생각해보시죠."

어느 정도 예상한 답변이었다. 권은경은 "아니요." 하고 단호하게 거절했다. 이제 목표까지 한 단계만을 앞둔 그녀는 더 이상 물러설 생각이 없었다. 이 세상에 태어나서 정을 준 존재라곤 동물뿐이었다. 지금 당장 이승을 떠나더라도 후회가 없었다.

"혹여나 오해할까 봐 말하는데, 자살하려고 여기까지 왔다고 생각하지 마세요. 지는 그저, 여기 생활이랑 거기 생활이 똑같다면 이제 새로운 곳에서 살고 싶을 뿐이에요."

서로 전화도 거는데 비슷하지 않겠냐며 권은경이 덧붙였다.

저승차사는 어떤 표정도 얼굴에 나타내지 않았다. 까만 한복을 두른 여인은 극도로 말이 적었다. 권은경은 단단한 벽과 대화하는 기분이었다.

"죽음은 단언할 문제가 아닙니다. 언제 생각이 바뀔지 모르거든요."

"직업 윤리에 맞지 않는 소리를 하는군요."

권은경이 날카롭게 반응했다. 그녀는 앞에 앉은 젊은 공무원에게서 산부인과 의사를 떠올렸다. 아직 경험해보지 않은 것을 섣불리 확신하지 말라는 눈빛, 권유로 포장한 거만한 참견, 아직 세상 물정 모르는 어리숙한 존재를 내려다보는 눈초리에 권은경은 이골이 났다.

"내가 내 죽음까지 허락받아야 합니까?"

나이 사십에, 라는 말은 굳이 덧붙이지 않았다. 이렇게 가르치려 들 거면 차라리 선생님이 되어보는 게 어떻겠느냐는 비아냥거림도 속으로 삼켰다.

"그렇게 고집부릴 일이 아닙니다."

한봄은 죽음에 관해서는 철저히 감정을 배제했다. 충동적인 죽음은 사절이었다. 차사 한봄은 사람이 말로 뱉은 각오가 흔들리는 갈대보다도 줏대 없다는 사실을 알고 있다. 그믐줄 탄 망자의 항의 전화는 통화국 대리인도 피할 수가 없었다. 그녀는 해를 거듭할수록 늘어나는 민원에 점점 더 큰 피로를 느꼈다. 내가 죽는다고 했을 때 왜 말리지 않았느냐는 우문에 현답은 없었다.

한봄이 권은경에게 물었다.

"저승에 소중한 사람이 있으신가요?"

"그 질문, 벌써 두 번째 듣는군요."

권은경이 시선을 돌렸다. 같은 말을 두 번이나 반복하고 싶지 않다는 의미였다.

"네, 별거 아닌 듯하지만 중요합니다. 왜냐하면 이승에서 건 전화를 저승에서 받아줄 망자가 필요하거든요. 다시 말하자면 이승의 사망 신청자, 저승의 수신자, 그들을 이어주는 통화국 대리인 중 하나라도 없다면 저승줄은 탈 수 없다는 겁니다."

한봄은 권은경이 아무것도 모르고 있을 거라 예상했지만 그녀의 억울한 표정을 보아하니 아무래도 이 사실을 알고 있던 듯했다.

권은경은 한참을 망설이다 입을 뗐다.

"혹시 수신인이 동물은 안 됩니까?"

한봄은 묘한 기시감에 고개를 돌렸다. 햄스터의 새까만 눈동자가 떠오르기 전에 그녀는 재빠르게 "안 된다고 봐야죠." 하고 대답했다.

방문객의 낯빛이 눈에 띄게 어두워졌다. 고심 끝에 찾아낸 방법이 먹히지 않자 절망한 듯했다. 권은경은 울분을 참듯 주먹을 꽉 쥐었다.

한봄은 자신이 이 상황에서 해줄 수 있는 말을 떠올려보았다.

'사고사는 개인의 선택으로 언제든 가능하오니 옥상에라도 올라가보세요'와 같이 다른 죽는 방법을 추천해야 하는 것일까? 저승줄에 올라타고 싶어 하는 생자는 자신의 죽음을 사람들이 흔히 자살이라고 말하는 것과 달리 여겼다.

한봄은 그들의 의지'는' 존중했다. 하지만 그 의지란 양날의 검과 같아서, 타의에 의해 부러지는 순간 반면의 얼굴을 드러냈다. 투철한 의지가 꺾일 때 생자들은 그토록 외면했던 최후의 보루를 마주했고 홀린 듯 극단적 선택을 했다.

한봄은 아직 숨겨진 반면을 마주하지 않은, 권은경의 열망하는 눈망울이 부담스러웠다. 그녀는 명령대로 움직이는 비겁한 집행자이고 싶었다.

한봄은 이번 기회에 다시 한번 삶을 고민해보라고 권은경에게 추천했다. 10분이 다 되었으니 이만 돌아가라고 말을 하려던 때였다. 한봄의 주머니에서 돌연 불길이 솟구쳐 올랐다.

권은경이 벌떡 일어섰다. 덕분에 의자에서 굴러떨어졌지만 아픔을 느낄 새도 없이 바닥을 기어 거실 끝으로 도망쳤다. 한봄은 낭패라는 표정을 짓고 있었다. 차사의 특권인지, 그녀는 불의 열기로부터 자유로워 보였다.

한봄이 주머니에서 물건을 꺼냈다. 은색 라이터였다. 네모난 뚜껑이 불기둥을 뿜어내느라 뒤로 젖혀진 채 기괴한 소리를 냈다. 신내림을 받은 무당처럼 고개를 덜덜거렸다. 불길이 용의 꼬

리처럼 천지를 날뛰었다. 천장에 부딪혀 꺾였다가 다시 바닥에
떨어지고 치솟기를 반복했다.

왜, 들어주지.

그때 불길 속에서 목소리가 퍼져 나왔다.

그의 전언에 화염도 두려운 듯 몸을 비틀었다.

권은경은 납작 엎드렸다. 두려움에 오들오들 떨었다. 타들어
가는 열기에 눈앞이 캄캄해졌다. 그녀는 이유도 모른 채 용서해
달라고 빌었다. 호흡이 가빠오고 속이 꽉 막힌 것처럼 답답했다.
그녀가 "죽을 것 같아." 하고 신음한 후에야 불길이 한풀 꺾였다.

붉은 화염 속에서 염라가 모습을 드러냈다. 그는 저승의 판
관, 명부의 시왕 중 5번째 지옥을 다스리는 왕이었으며 사람이
전생에 지은 선악을 심판했다. 그의 심판장에서 입을 거짓으로
놀렸다간 혀가 잘리고 두개골을 두들겨 맞았다. 염라는 악행을
벌하는 불꽃이었다. 그러니 심판대에 오르지도 않은 권은경에
게 실제로 화염이 미치는 영향은 미미했으나 불이 머금은 열기
만으로도 생자는 이성의 끈을 놓기에 충분했다.

대왕은 인간의 얼굴에 떠오른 공포를 탐닉했다. 지구에서는
최상위 포식자라 자부하는 그들이 스스로가 한낱 미약한 존재
임을 통감했을 때 느끼는 순수한 절망을 그는 사랑했다. 보다
못한 한봄이 끼어들고서야 염라가 생자를 비웃듯이 퐁- 하고 작

은 불방울로 모습을 바꾸었다.

이자이더냐?

염라의 음성이 1009호에 울려 퍼졌다.

괴롭힘을 당하고 있다 하여 와보았거늘, 이제 보니 어여쁜 정도가 아니더냐.

불꽃이 시선을 내렸다. 그러곤 땅바닥에 붙어 있는 권은경에게 말을 걸었다.

생자에게 묻지. 생을 끝내는 방도란 속세에 오만 가지로 존재하거늘, 결론에 도달하고자 한다면 그 수단이야 뭐가 됐든 무슨 상관이겠는가?

염라가 달변으로 생자를 부추기며 가까이 다가가려 했다. 이보다도 거리를 좁힌다면 권은경은 경기를 일으킬 게 분명했지만 지옥 왕은 인간의 나약함을 이해하지 않았다.

한봄이 그 앞을 막아섰다.

뭐 해, 어서 저승으로 넘기지 아니하고.

"저승의 법도는 대왕이 세우지 않았습니까?"

한봄이 눈살을 찌푸리며 읊조렸다.

염라는 지그시 저승의 아이를 바라보았다. 그리 당해놓고 여태 사람이 좋더냐? 마치 그리 묻는 듯했다. 한봄은 입술을 다물었다. 그의 비아냥에도 어깨를 펴고 생자를 보호하듯 가슴을 부풀렀다.

불방울이 뒤틀린 웃음을 흘렸다. 허공에서 팍 하고 제 몸을 터뜨리더니 붉은 베일처럼 바닥에 흘러내렸다. 널브러진 옷감이 좌우로 흔들거리더니 그 가운데 구멍에서 사람 머리통이 쑥- 하고 올라왔다. 백색 얼굴에 눈만 붉은 마귀. 그것은 얄궂게도 길 강욱의 얼굴을 하고 있었다.

'악취미.'

한봄이 힐끔 라이터를 확인했다. 기름이 거의 다 닳았지만 점화된 촉광은 여전히 기세등등했다. 한봄은 권은경을 보호하듯 손을 뻗었다. 두루마기 끝을 잡고 팔을 벌리자 생자는 미약하게나마 숨통이 트였는지 조심스럽게 고개를 들었다.

들어라.

염라의 목소리에 공기가 일렁였다. 그는 새빨간 상의를 엉덩이 뒤로 밀어내며 허공에 걸터앉았다. 마치 옥좌에 앉은 듯 평온한 자세였다.

그가 손가락을 튕기자 불꽃이 피어났다. 불꽃은 빙빙 원을 그리며 사방으로 불똥을 튀기는 모습이 마치 쥐불놀이처럼 화려했다. 그 중심의 새까만 어둠속에서 한봄은 타오르는 갈기를 목격했다.

'말도 안 돼.'

그녀가 경악하는 표정을 염라가 음미했다. 그는 길강욱의 얼굴로 환하게 웃었다.

내 친히 이 자리에서 네 죄를 묻겠노라.

저승의 판관이 지옥의 출입문을 열어 그의 짐승을 끄집어내려 하고 있다. 수사자가 휘황한 갈기를 휘날리며 걸어왔다. 등에 업경대를 짊어지고 원을 빠져나오려 했다. 업경은 높이가 1m에 달하는 거울로 죽은 자의 죄를 비추었다.

짐승이 이 세계에 두꺼운 앞발을 디뎠다. 으르렁- 포효하자 갈기가 붉은 궤적을 그렸다. 권은경은 고개도 들지 못한 채 사시나무 떨 듯했다. 사자가 흉측한 이빨을 드러내며 몸통을 꺼내려는데 어디선가 탁탁 소리가 났다. 한봄이 손에 쥔 라이터가 불씨를 꺼트리려 했다. 저승의 짐승은 힘을 잃고 어둠속으로 빨려 들어갔다. 울부짖는 소리가 거실을 울렸다.

염라가 이마를 짚었다.

네 놈, 기름을 안 채워뒀구나.

의연한 표정의 차사를 나무랐다.

"제게 언질도 없이 이중 약속을 잡아두셨는데 믿을 수가 있어야지요."

한봄이 제 잘못은 없다며 시치미를 뗐다. 염라가 간악한 저승차사를 쏘아보았다. 그는 탁탁 꺼져가는 불씨 속에서 생자에게 일렀다.

　네 놈 저승줄을 잡아줄 망자는 내 이미 구해두었으니 방법은 차사 한봄에게 물어보거라. 내 와신상담하는 자는 외면하지 않느니라.

　왕의 명령이 떨어졌다. 한봄은 눈을 질끈 감았다. 염라가 가소롭다는 듯이 생긋 웃어 보였다. 그는 그녀가 그토록 피하고 싶었던 결말을 제 손으로 완성하고 홀연히 떠났다.

권은경은 죽음을 확언 받고 집으로 돌아왔다.

염라대왕이 구해놓았다던 망자는 한봄의 옛 후배였다. 대왕
이 자취를 감추자마자 한봄은 저벅저벅 거실로 걸어갔다. 미간
을 지압하며 전화 테이블 앞에 섰다. 그녀는 재빠르게 다이얼을
돌려 어딘가에 전화를 걸었고 피곤한 얼굴로 누군가와 짧은 안
부 인사를 나누었다. 그리곤 무례한 손짓으로 권은경을 불렀다.

"와서 받으세요. 도움 줄 사람입니다."

권은경이 주춤주춤 한봄에게 다가갔다. 그러고는 건네받은
수화기를 조심스레 귀에 갖다 대었다.

안녕하세요. 저는 김용수라고 합니다.

사내는 자신을 한봄의 후배라고 소개했다. 수화기 반대편에
서 넘어오는 목소리가 나긋했다. 그는 돌아오는 그믐날에 마중
을 나가겠다면서 짧은 통화를 공손하게 끝마쳤다. 권은경은 이
제 진정으로 돌아오는 그믐날에 저승줄을 타고 떠날 것이다.

"그럼 일주일 후에 뵙겠습니다."

한봄이 알 수 없는 표정으로 안녕을 고했다. 권은경도 다급
하게 고개 숙여 인사했다. 도망치듯이 1009호를 빠져나왔다.

엘리베이터 거울로 제 모습을 확인한 권은경은 쥐구멍에라도

숨고 싶었다. 여기저기 멍든 팔뚝, 잔뜩 번진 눈 화장, 곱슬곱슬한 머리 끝, 푸석한 피부에 말라붙은 눈물 자국이 창피했다. 그녀는 한 인간으로서의 모든 치부를 들켰다는 생각에 얼굴이 화끈했다.

바닥을 기어 도망쳤던 모욕적인 기억은 다음날까지도 권은경을 괴롭혔다. 그녀는 고개를 세차게 저었다. 상념을 쫓아내며 카페 창밖을 구경했다. 사람들이 부지런히 움직였다.

가로수에는 가을이 지고 겨울이 오려 했다. 권은경의 머릿속에는 이 모든 장면을 눈에 담고 싶다는 생각과 곧 죽을 건데 그게 다 뭔 소용인가 싶은 염세가 충돌했다. 경제적 궁핍도 현실적인 문제로 다가왔다. 권은경은 예상 수명보다 40일을 길게 살았다.

그녀는 휴대폰을 내려다보았다. 화면에는 그녀가 평생을 후원해온 동물 보호 센터 번호가 떠 있었다. 작년 권은경은 이곳에 재산 기부 의사를 밝혔으며 그와 관련한 모든 절차를 올해 8월에 끝마친 상태였다. 급작스러운 퇴사 선언에 퇴직금에서 손해를 보았지만 그녀는 인색하게 굴지 않았다. 일급으로 계산 받은 급여와 가구를 팔아 마련한 돈이 좀 남아 있었기 때문이었다. 하지만 이러한 쌈짓돈은 평소 그녀의 소비 습관을 메우지 못한 채 금세 바닥을 드러냈다.

'구차해 보이겠지.'

이제 와서 센터에 일주일 살 만큼만 생활비를 환급해달라고 요청할 수도 없는 노릇이었다. 그녀는 빈곤한 위장을 그나마 풍요로운 마음으로 끌어안으며 카레 전문점 문을 열어젖혔다.

이 작은 시골 마을에도 무인 단말기가 들어섰다. 권은경은 며칠 전에 읽었던 기사를 떠올렸다. 현대인의 편리함을 위한 비대면 서비스, 예를 들어 터치스크린 방식의 주문이나 무인점포 운영 등이 장애인과 고령자에게 얼마나 큰 좌절감을 주는지 문제의식을 가지게 하는 내용이었다. 그녀는 자신이 휠체어를 탄 시각 장애인이라면 누르지 못할 만큼 높은 곳에 손을 올렸다. 기본 카레라이스를 누르고는 대기표를 뜯었다.

가게는 점심을 먹으려 몰려든 사람들로 북적였다. 어떤 이는 자리가 나지도 않았는데 무턱대고 주문부터 넣었다.

권은경은 카레 그릇을 숟가락으로 긁었다. 창피를 무릅쓰고 바닥에 눌어붙은 소스까지 먹어봐도 허기가 가시질 않았다. 다음에는 가성비 좋은 밥집을 검색해봐야겠다고 생각했을 때였다. 저 멀리서 저승차사가 카레 전문점을 향해 걸어오고 있었다. 겸연쩍은 마음에 권은경은 고개를 푹 숙였다.

계획보다 더 살게 되면서 언젠가 한 번은 마주칠 거라고 어느 정도 예상했다. 한봄은 그녀와 행동반경이 비슷했다. 예전에도 권은경은 잠깐 들른 슈퍼나 산책길에서 곧잘 대리인과 마주쳤다. 매번 곁을 스쳐 지나가던 한봄이 오늘은 일행인 것처럼 자연스럽게 권은경 맞은편에 앉았다.

'음식 참 많이도 시켰다.'

권은경은 의아함보다 우습게도 부러움을 먼저 느꼈다. 그녀가 쳐다보자 한봄이 어깨를 으쓱했다.

"자리가 없어서요."

한봄이 시킨 메뉴는 닭 가슴살 하이라이스 세트였다. 토핑으로 버섯과 소시지를 추가했을 뿐만 아니라 그 옆에 놓인 작은 접시에는 잘 튀겨진 돈가스와 크로켓, 닭튀김도 담겨 있었다.

"음식량이 이렇게 많은 줄 몰랐네요."

한봄이 튀김 요리를 테이블 중앙에 놔뒀다. 그녀는 낮은 목소리로 "드세요." 하고 음식을 권했다. 권은경은 잠시 망설이다가 젓가락을 들었다.

통화국 대리인은 수수한 차림새였다. 가벼운 점퍼를 걸쳤고 민낯은 화장기 없이 무던했다. 그녀는 과도한 식탐과 달리 재미없이 음식물을 섭취했다. 미각을 통한 환희보다 음식물을 잘게 부수는 구강 운동에 집중하며 턱을 움직였다. 권은경은 괜스레 민망한 마음에 "맛있네요." 한마디를 던지며 젓가락을 내려놓았다. 혼자서 돈가스 반절 이상을 해치운 후였다.

한봄은 소시지를 꼭꼭 씹어 먹으면서 말했다.

"많이 드세요."

둘은 대화 없이 거리를 거닐었다. 가는 길이 같다 보니 어쩔
수 없이 동행해야 했다. 민망한 마음에 먼저 말을 걸어 보아도
한봄은 짧은 대답으로 응수했다. 한봄과 애매하게 떨어져 걷던
권은경은 한시라도 빨리 아파트에 도착하길 바라며 걸음을 재
촉했다.

저기 드디어 아파트 3동이 보였다. 권은경은 낙원의 입구에
다다른 것처럼 기뻐하면서 고개를 숙였다. "그럼 이만." 하고 등
을 돌리는데 한봄이 그녀를 붙잡았다.

차사의 입에서 나온 말은 전혀 예상치 못한 것이었다.

"집에 사골국이 남는데 드시러 오실래요?"

지금 말고 나중에라도요. 한봄이 표정 없는 얼굴로 말을 덧
붙였다.

뜻밖의 초대였다. 권은경은 황망하게 통화국 대리인을 바라
봤다. 한봄은 입술을 달싹이고 있었다. 그녀 또한 오늘의 선택
이 불러올 내일의 변수가 두렵다는 듯이.

권은경은 잠시 생각에 잠겼다.

'음식으로 꼬시다니.'

술수가 뻔해서 넘어가주기도 면구스러울 지경이었지만 그녀는 고민 끝에 고개를 끄덕였다.

"그럼 내일 갈게요."

저승차사는 이번에도 표정 없는 얼굴로 주억였다.

예부터 조상들은 '함께 밥 먹는 정이 무섭다'고 말했다. 권은경은 어느새 눈에 익은 한봄의 젓가락질을 바라봤다.

대리인은 젓가락질이 야무져서 반찬을 잘 집었다. 생선 가시는 씹어 넘기지 않고 꼭 접시에 뱉어냈다. 그녀가 입을 옹다물고 이리저리 눈을 돌리면 권은경이 눈치 빠르게 빈 접시를 내밀었다. 한봄은 또 향토적인 음식을 좋아하면서 간식으로는 팝콘만한 게 없다고 우겼다. 식사를 마치면 짧게라도 나들이를 나갔고 어느새 권은경도 그 옆에 함께했다. 두 사람은 습관을 공유하며 서로를 알아갔다.

말없이 거니는 산책길이 편안했다. 권은경이 빠른 걸음으로 앞장서면 한봄이 뒤따라왔다.

"생각보다 걸음이 느리네."

한 번은 권은경이 도발했다. 한봄이 인상을 찌푸리더니 잰걸음으로 달려왔다. 쫄쫄거리며 비탈길을 내려가더니 느닷없이 뒤로 발라당- 넘어졌다. 마치 시트콤의 한 장면처럼.

"맞다. 여기는 못 지나갔지."

한봄이 바닥에 주저앉아 중얼거렸다. 이마는 어디 벽에라도 부딪힌 것처럼 새빨개졌다. 멍하니 아픈 부위를 문지르고 있는 그녀를 권은경이 부축해 일으켰다.

권은경은 그날 이후로 저승차사 놀리기를 그만두었다.

그믐을 하루 앞두고 권은경과 한봄은 술잔을 부딪쳤다. 집주인은 팝콘과 반건조 오징어를 안주로 내왔다. 한봄은 휴대폰으로 간간이 누군가와 연락을 주고받았고 권은경은 제 집처럼 부엌으로 걸어 들어가 냉장고에서 소주 몇 병을 더 꺼내왔다. 혹시 모르니 맥주파 한봄에게도 소주잔을 하나 밀어놓았다.

권은경이 마지막 오징어 다리를 집어 든 때였다. 한봄이 권은경의 첫인상을 설명했다.

"이성보다 행동이 빠른 사람이겠구나 싶었어요."

잠시 정적이 흘렀고 한봄은 성급하지 않게 덧붙였다.

"행동이 빨라서 집도 이미 정리하고 물건도 청산하고, 어쩌면 주변 사람들에게 나눠줄 장례식 초대장을 만들어뒀을지도 모른다 싶었죠."

"그게 관상에 보여요?"

권은경이 작게 웃었다. 한봄은 크고 느리게 고개를 끄덕였다. 아무래도 오래 일했으니까, 하고 대답했다. 그녀가 웬일로 맥주 말고 소주를 찾았다. 술에 취해 위태롭게 흔들리는 손을 찰싹 때리며 권은경이 초록색 병을 뺏어들었다. 불쌍해 보이게 왜 이러느냐며 대신 잔을 채워주었다. 쪼르륵- 얌생이처럼 조금만.

한봄이 물었다.

"나이가 사십이면, 어때요?"

"물어 뭐 해."

권은경이 어금니로 오징어 다리를 잘근잘근 씹었다. 긴 술자리에 방치된 마른안주는 금세 눅눅해졌다.

"궁금해서요."

"삼십은 됐고?"

권은경이 눈을 게슴츠레하게 떴다. 한봄은 대답이 없었다. 취기가 오른 와중에도 그녀는 말을 아꼈다.

"별로예요. 물론 내 삶이 모든 40대의 삶을 대표할 수는 없겠지만, 나 같은 경우에는 실패한 사십이죠."

그녀가 어깨를 으쓱하며 손에 묻은 가루를 툭툭 털어 냈다.

"20대 후반까지만 해도 사람들이 좋다는 건 다 해봤거든요? 대학은 못 나왔어도 적당히 알아서 취직하고 연애도 몇 번 하고. 근데 나는 애초에 평범하게 사느라 끝끝내 원하는 대로 살 기회를 놓친 것 같아."

권은경이 슬프게 웃었다. 움푹 꺼진 눈동자가 흘러간 세월을 더듬었다.

이번에는 그녀가 한봄에게 물었다.

"그래서 그쪽은 하고 싶은 일을 하고 있어요?"

한봄은 느리게 눈을 끔벅이더니, 그런 것 같다고 말했다.

중년의 여성이 고개를 끄덕였다.

"그 정도면 된 거예요, 성공한 거야. 그렇지 못한 사람이 훨씬 많거든. 그런 어른들이 커서 나중에 '우울한 중년'이 되는 거지, 나처럼."

권은경이 입술을 삐죽였다. 여하튼 40대는 정말 별로라면서 과장스럽게 기지개를 켰다. 말에 담긴 내용은 진중했으나 그 어투가 가벼워서 한봄은 인상을 찌푸렸다. 탁- 하고 맥주잔으로 식탁을 내려쳤다.

"그래도 삶은 소중한 거예요. 삶은 소중한 거라고요……."

한봄이 주문을 외듯 하염없이 중얼거렸다.

그녀가 휘청거리며 놓친 유리잔이 식탁을 나뒹굴었다. 권은경은 얼른 화장실에서 두루마리 휴지를 꺼내왔다. 젊은 사람이 술주정이 심하다며 핀잔을 주면서도 혹시나 잔이 깨지진 않았을까 대리인의 손바닥을 꼼꼼히 살폈다.

한봄이 권은경의 턱에 자리한 점을 멍하니 바라보며 중얼거렸다.

"사망 신청자랑 이러면 안 되는데."

권은경이 싱겁게 웃었다. 누가 보면 금단의 사랑에 빠진 줄 알겠다며 신소리를 냈다. 그녀의 호탕한 웃음소리에 한봄이 고개를 들었다. 애처로운 눈빛으로 권은경을 바라봤다.

　"이제 좀 생각이 바뀌었어요?"

　대리인이 울상을 지으며 물었다. 아니, 라고 말한다면 금방이라도 눈물을 떨어뜨릴 눈치였다. ㅅ자를 그린 한봄의 단정한 눈썹이 권은경은 언젠가 찾았던 우도 하늘의 갈매기를 닮았다고 생각했다. 그녀는 바짝 다가온 한봄의 얼굴을 밀어내며 말했다.

　"아니."

　한봄은 울지 않았다. 오히려 얼굴에서 표정을 지웠다. 침착한 눈동자 너머로 파도가 넘실거리는 듯했다. 상황을 마주하는 게 두려워 몸을 움츠렸다가 오히려 겁을 상실하고 달려들려는 그 모습이 어쩐지 익숙했다. 권은경이 기억을 더듬었다.

　장례식 상담을 마치고 돌아오는 길이었다. 초등학생들이 하교하는 대낮에 권은경이 마주한 상황은 납치 또는 성폭력 범죄의 시발점이었다. 추레한 매부새의 중년 남성은 느닷없는 사이렌 소리에 헐레벌떡 도망쳤다. 줄행랑치는 사내와 안절부절못하는 아이 사이에서 권은경이 망설이던 때였다. 저쪽에서 성큼성큼, 한봄이 걸어왔다. 매사에 염세적인 그녀가 다급한 야차의 얼굴을 하고 있었다.

두 사람은 시선을 주고받았다. 어깨가 스친 건 찰나였지만 서로가 품은 책임감을 확인한 그들은 곧장 반대로 뛰어갔다. 뒤에서 들려오는 한봄의 발소리가 믿음직스러웠다.

중년의 여인은 수년 만에 전력질주했다. 남자의 뒤꽁무니까지 따라붙었지만 불법정차해둔 트럭에 올라탄 그는 모든 교통법규를 어기면서 귀신같이 사라졌다. 권은경이 다급하게 번호판 사진을 찍어봤지만 휴대폰 사진첩에는 잔뜩 흔들린 피사체만 담겼다.

그녀는 경찰에 신고를 마치고 초등학교 쪽으로 발걸음을 옮겼다. 혹시 몰라 되돌아온 골목길 끝으로 두 사람의 뒷모습이 보였다. 바가지 머리 소녀는 끊임없이 재잘거렸고 여인은 앞만 바라보았다. 저승차사가 돌연히 멈춰 섰다. 낯을 가리듯 검지 하나를 내밀었다. 같이 멈춰 선 아이가 활짝 웃으며 언니의 손을 움켜쥐었다.

권은경은 그 순간 한봄이 지었을 표정이 너무나도 궁금했다. 눈앞의 한봄은 술에 취해 고개를 떨구고 있었다. 그녀는 빈 잔을 손끝으로 잡고 둥글게 굴렸다. 손등 위로 핏줄이 불쑥불쑥 솟아올랐다. 권은경은 금방이라도 유리를 깨뜨릴 듯한 손을 지켜보며 입을 뗐다.

"생각해보니까 내 냉장고에 음식이 있어요. 세상에서 제일 맛

있는 반찬인데 버리긴 아까우니까 대리인이 대신 먹어줘. 혹시
나 썩어서 냄새나면 나중에 폐기물 수거하는 사람들이 얼마나
나를 욕하겠어."

죽어서 욕먹기는 싫다는 그녀의 말에 한봄이 실소를 터뜨렸
다. 어처구니가 없다는 듯이 비웃었다.

"뭐 하러 그런 걱정을 해요?"

어차피 죽을 사람이. 권은경의 귀에는 그렇게 들렸다.

한봄은 미소를 지으며 권은경의 부탁을 거절했다.

"싫어요."

안 먹을 거라며 유치한 복수를 했다. 그러곤 다시금 고개를
숙였다. 웃음기를 띠었던 눈동자가 금세 흐릿해졌다. 목적 없이
먼 허공을 응시했다. 그녀는 술에 취해 감각이 무뎌진 입술을
오물거리며 싫다는 말만 반복했다.

달이 구름 뒤로 숨은 양력 11월의 그믐날이었다.

권은경은 1009호 거실에서 새까만 전경을 내다보았다. 매트리스에 걸터앉아 다리를 살짝살짝 흔들었다. 그녀는 곧 떠날 생각에 즐거워 보였다. 기일이 '111'이라 기억하기도 쉽겠다는 말을 꺼냈다가 한봄에게 새벽부터 꾸지람을 들었다.

저승차사는 욱신거리는 허리를 쭉 폈다. 생자의 요구에 오랜만에 전신 운동을 했더니 옆구리가 쑤셨다.

20여 분 전, 권은경은 쓸쓸한 눈빛으로 한봄에게 물었다.

"그냥 같이 있으면 안 될까?"

떠날 때까지 혼자면 너무 처량하잖아. 한집에 있는데 굳이 자신만 침실에서 전화 받기는 싫다고 권은경이 말했다. 대놓고 시무룩한 표정을 지었다. 동정심을 자극하는 행동에 한봄은 설핏 인상을 구겼다. 그녀는 짜증을 내면서도 안방에서 매트리스를 꺼내왔다. 전화 테이블 바로 옆으로 침상을 밀어붙이자 권은경이 뛸 듯이 기뻐했다. 차사의 집에서 저승줄 타는 생자는 자신뿐일 거라며 은근한 자부심을 드러냈다.

연결 번호 02-0815가 매트리스에 걸터앉았다. 양손으로 휴대폰을 쥐었다. 한봄은 그 앞에 서서 생자가 그토록 자랑했던 터키의 블루 모스크[2]보다 찬란한 원피스를 입은 여인의 자태를 내려다보았다. 시선을 견디다 못한 권은경이 먼저 고개를 돌렸다. 한봄의 눈동자가 품은 말을 끝까지 바라볼 수 없었다.

생자가 컴컴한 하늘을 둘러보며 애써 무언가를 찾았다.

"달이 안 떴네요. 그건 좀 아쉽다."

"달은 원래 매일 뜹니다. 사람 눈에 안 보일 뿐이지."

한봄이 전화 테이블에 무릎을 구겨 넣으며 말했다.

권은경이 투덜거렸다. 곧 헤어질 건데 왜 이렇게 쌀쌀맞느냐며, 이제는 자신도 더 이상 말 걸지 않을 거라 하며 등을 돌렸다. 부루퉁한 얼굴로 휴대폰을 켜고 화면에 *01-1009#을 입력했다. 한봄은 아랑곳하지 않고 실타래함 뚜껑을 열고 붉은 천을 눈 위에 둘렀다.

일출 시각까지 앞으로 10분 남았다. 벽시계의 초침은 오전 6시 1분을 향해 부지런히 달려갔다. 한봄이 수화기를 집어 들었다.

권은경은 제 할 일에 몰두한 저승차사에게서 시선을 뗐다. 창밖에는 희미한 여명조차 보이지 않았다.

"애절한 이 하나 없다니, 인생 허망하네."

권은경이 나지막이 말했다.

---

2) 터키를 대표하는 사원. 내부가 파란색과 녹색의 타일로 장식되어 있다.

한봄은 생자의 넋두리를 못 들은 체하며 공지판을 손바닥으로 훑었다. '사망 신청자 1명(승인 1명)'이라는 글자가 불에 그을린 듯 떠올랐다.

한봄은 잠시 눈을 감고 마음 앞에 커다란 장벽을 둘렀다. 몰아치는 감정의 파도를 막아서고 부서져 내린 거품조차 넘어가지 못하도록 아주 높은 벽을 세웠다. 저승차사는 더 이상 지체하지 않고 다이얼을 돌렸다. 그녀의 접속을 승인하는 목소리가 들려왔다.

한봄은 염라의 허락하에 몰래 내려온 그믐줄을 낚아챘다. 생자가 눈치채지 못할 정도로 빠르게 손에 감았다.

그녀가 공지판을 들어 올려 실타래 판도 확인하던 때였다. 얌전히 기회를 엿보고 있던 붉은 천이 몸을 쭉- 늘이더니 낼름 경대 2단을 통과했다. 길쭉한 구멍의 상단으로 전구 하나가 외로이 초록불을 켰다.

선배.

검은 그림자가 한봄을 불렀다. 그림자는 그녀의 주의를 끌려고 주변을 알짱거렸다. 마치 오늘 밤의 그믐달처럼, 생자에게는 보이지 않는 망자가 이미 이곳에 대기하고 있었다. 한봄이 생전에 기억하는 얼굴로 후배가 반갑다며 손을 흔들었다.

그는 혼자가 아니었다. 한봄은 아까부터 시야에 번쩍번쩍 뛰어드는 자그마한 것들을 죄다 못 본 체하고 사망 신청자를 마주 보았다. 저승차사는 그믐줄이 연결되기까지 5분을 남겨두고 지금껏 숨겨두었던 저승의 진실을 생자에게 털어놓았다.

"왜 없습니까, 있으신 것 같은데."

"뭐가요?"

권은경이 의아한 듯 물었다. 안경 너머로 동그랗게 뜬 눈동자가 명랑했다.

한봄이 피식 웃음을 흘리며 아까부터 동네 한 바퀴 돌 듯이 날뛰는 생명체들을 바라보았다.

"애절한 이요. 동물들이 잔뜩 기다리고 있습니다, 지금."

권은경이 벌떡 일어섰다. 그녀는 입을 벙긋거리더니 그래도 매트리스를 벗어나면 안 된다고 판단했는지 다시 자리에 앉았다. 권은경은 너무 놀란 나머지 "왜 말 안 했어?"라는 짧은 문장을 말하면서도 버벅댔다.

고약한 저승차사는 어깨를 으쓱했다.

"동물 좋아하는 사람들 다 저승으로 가면 이승은 삭막해서 어떻게 살아요."

그래서 원래 말 안 해줍니다. 한봄은 특유의 무신경한 표정으로 바닥을 내려다보았다. 그곳에는 한쪽 눈이 안 보이는 푸들이 앉아 있었다. 혓바닥을 내밀고 헥헥거렸다. 후배는 이미 꼬리

짧은 삼색 고양이에게 허벅지를 빼앗긴 상태였다. 그 밖에도 억울한 표정의 비글, 털 뽑힌 거위, 비쩍 마른 참새, 한쪽 다리를 잃은 비둘기, 허리가 찢겨나간 고라니가 사방 천지에서 그들의 언어로 떠들어댔다.

한봄이 그들을 둘러보며 권은경에게 말했다.

"사랑을 많이 받으셨네요. 나눠준 만큼 돌려받는 겁니다, 이런 거는 원래."

권은경이 양손으로 입을 틀어막았다. 인상을 찌푸리며 애써 울음을 참아보지만 목울대가 바르르 떨렸다. 막아보려 했지만 사랑하는 이들과의 추억이 새어 나왔다.

"주책맞게……."

권은경이 안경을 벗고 눈물을 훔쳤다. 눈시울을 닦아내며 코를 들이켰다.

선배.

망자가 한봄을 불렀다. 그는 한봄의 손바닥 안에서 요동치는 그믐줄을 콕콕 찌르며 이제 어쩔 수 없다는 듯이 고개를 가로저었다. 후배가 그녀의 손등을 조심스럽게 감싸쥐고 나서야 한봄은 움켜쥐고 있던 손을 펼쳤다. 그믐줄이 활개를 치며 저승차사의 안대와 권은경의 휴대폰을 휘감았다.

생자가 번쩍 눈을 떴다. 주변을 둘러보더니 눈을 세차게 깜박였다. 갑작스러운 암전에 놀랐을 그녀에게 한봄이 말을 걸었다.

"근데 이 치즈색 고양이는 원래 사람한테 잘 매달립니까?"

제 바짓가랑이를 잡고 늘어지는 고양이 때문에 한봄은 마음이 심란했다. 권은경은 눈물이 쏙 들어가도록 폭소했다. 미소를 지으며 "별이가 원래 애교가 많아요." 하고 말했다.

선배, 이제 진짜 가야 해요.

망자의 목소리가 휴대폰에서 흘러나왔다. 상부에서 오늘 업무는 빨리 끝내라는 명령이 있었다며 후배가 한봄을 재촉했다. 권은경은 완연히 평안한 미소를 머금으며 한봄에게 요구했다.

"헤어지기 전에 좀 웃어봐요."

"어차피 보지도 못하잖아요."

저승차사의 단호한 거절에 권은경이 금방이라도 눈물을 터뜨릴 것처럼 얼굴을 구겼다.

한봄에게 묻고 싶은 말이 있었다. 그러나 아까부터 초면처럼 냉정하게 구는 바람에 쉽게 말도 붙이지 못했다.

그녀가 망설임 끝에 입술을 뗐다.

"혹시 한봄 씨는."

"저 왜요."

저승차사가 라이터 뚜껑을 열었다. 봉긋한 불꽃이 피어올랐다.

"그쪽도 넘어올 때 부를 사람 없으면 나 찾으라고. 내가 해줄게, 전화 받는 망자 역할."

권은경의 제안에 한봄이 눈을 감았다. 화를 삼키듯 미간을 찌푸렸다. 그러고는 깊은 한숨을 내쉬었다.

"됐어요. 난 저승에 아는 사람 많아요."

"걱정해줘도 난리야."

권은경이 투덜거렸다. 인기 많아서 좋겠다고 비아냥거렸고 끝까지 쌀쌀스러운 한봄을 힐난했다. 그러고는 민망한 마음에 엉덩이를 들썩이며 옷맵시를 정리했다. 자신은 이제 떠날 준비를 마쳤으니 언제든 저승줄에 태워달라고 말했다.

선배.

"알아."

저승차사가 안대에 불씨를 틔웠다. 사망 신청자 02-0815가 옅은 미소를 띠웠다. 한봄의 목소리가 들리는 쪽으로 고개를 돌리며 마지막이 아닐 인사를 남겼다.

전화할게.

한봄은 불에 타들어가는 그녀를 외면했다. 떠나는 모습을 지켜보지 못한 채 대꾸했다.

"전화하지 마요."

그 순간 화마가 입을 쩍 벌려 사망 예정자를 집어삼켰다. 지옥불이 새벽녘을 깜박 밝히고 흔적도 없이 사라졌다. 후끈한 열기 사이로 작은 웃음소리가 들린 것 같다고 한봄은 생각했다.

지표를 뜨겁게 달궜던 태양이 오전을 지나 지평선 너머로 사라지는 동안, 한봄은 한 자리에 머물렀다. 눈앞에는 권은경의 푸른 원피스가 아른거렸고 그녀와 함께했던 일주일이 꿈결처럼 아리송했다.

'이번 죽음은 죽음답지 못했어.'

한봄은 권태롭게 오답 노트를 적었다.

그녀는 차사 인생에서 처음으로 가장 큰 충동을 느꼈다. 튀어나오려는 말을 삼키느라 도리어 헛구역질이 나올 정도였다. 그것은 오래전부터 위협적인 발길질로 태동하며 자신의 부화를 알려왔다.

한봄이 보아온 권은경의 40대는 충분히 찬란했다. 식탁을 사이에 두고 마주한, 어쩌면 누군가의 미래일지도 모르는 당신의 삶이 적당히 소란하고 훌륭했다고 말해주고 싶었다. 한봄은 '우리의 관계'에 먼저 엉덩이를 들이밀었던 자신의 선택에 은근한 뿌듯함을 느끼던 차였다.

근데 죽으면 그게 다 무슨 소용인가. 한봄은 입을 걸어 잠갔다. 보내고 싶지 않다는, 감히 가져서는 안 되는 열망의 싹을 잘라냈다.

"차사도 사람인데, 다들 그걸 몰라."

한봄은 의자에서 몸을 일으켰다. 휘청거리는 걸음을 벽에 의지한 채 발걸음을 내디뎠다. 물을 찾아 부엌으로 향한 그녀는 식탁 위에 덩그러니 남겨진 물건을 발견했다. 815호 열쇠였다.

한봄은 돌연 참을 수 없다는 듯이 뛰쳐나갔다. 3동을 향해 달렸다.

어느새 다시 겨울이다.

어화둥둥 주요비

올해 겨울, 첫눈이 대설이었다. 달이 바뀌고 꼭 아흐레 만이었다.

한봄은 살을 에는 추위 속에서 눈을 떴다. 한기가 심상치 않았다. 그녀는 사자복을 어깨에 둘렀다. 밤새 뒤척임에 반쯤 벗겨진 양말을 대충 신고 거실로 나왔다. 습관적으로 전화 테이블에 걸터앉으려다 베란다 문을 열었다.

펄랭이 마을의 낮은 주택들이 하얀 눈 이불을 덮었다. 저 멀리 왼쪽으로 보이는 화곡산도 그 강단 있는 풍채 위로 슈거파우더를 솔솔 덮고 보드라운 케이크로 변모했다.

아직 해도 뜨지 않은 시각. 새벽이 어슴푸레한데 사람들은 분주하게 움직였다. 동네 경비원이 빗자루를 들었다. 몇몇 주민도 경비원과 함께 부지런히 보도블록을 쓸어냈다. 자동차 콧김에 차도는 금세 녹아내렸고 차량이 진흙탕 위로 느림보 걸음을 걸었다. 매연에 거무스름해진 얼음 결정체가 찻길 변두리에 쌓였다. 만적교부터 회청교까지 이어진 암곡천이 밤새 얼어붙은 빙판을 부수고 거세게 흘렀다.

아침 해가 금세 지평선 위로 떠올랐다. 태양은 둥글지만 지금껏 그녀가 도심에서 바라본 태양은 빌딩에 걸린 조각이었다. 한봄은 새삼스럽게 펄랭이 마을의 해님은 참 동그랗다고 생각했다.

고요를 깨고 학생 둘이 아파트 입구를 향해 달려갔다. 오전 7시 50분쯤이면 어김없이 등장하는 남자 고등학생들이었다. 그들은 교복 위에 모자가 달린 얇은 옷을 두르고 있었다. 젊음은 뜨거웠고 그래서 세상이 차가운 줄 몰랐다.

안경 낀 한 명이 거친 숨을 몰아쉬며 바닥에 쪼그려 앉았다. 허겁지겁 눈을 뭉치는데 눈치 빠른 친구가 나름 잽싸게 피해봤지만 눈덩이에 귀를 얻어맞았다. 둘은 티격태격하다가 동시에 미끄러졌다. 쿵- 하고 엉덩이를 찧었다. 입 모양을 보아하니 분명 욕설이 오갔다. 뭐가 그리도 재미있는지 학생들은 깔깔대며 또다시 엎치락뒤치락했다. 방금의 엉덩방아쯤이야 개의치 않는다는 듯이 걸음 속도를 올렸다. 펭귄처럼 뒤뚱거리는 뒷모습을 지켜보던 한봄이 피식 웃었다.

반대편에서 빙판길을 걸어오던 할아버지가 넘어졌다. 친구는 잘만 놀리던 녀석들이 후다닥 달려가 노인을 부축했다. 안경 쓴 소년이 잘했다는 듯 넥타이 맨 친구의 머리를 치고 또 도망갔다.

"청춘이네."

한봄은 나지막이 말했다.

그녀는 신다 만 도톰한 양말을 정강이까지 끌어올렸다. 손에 입김을 불어넣자 손끝으로 찌릿한 전기가 올랐다. 얇은 면 파자마를 걸친 허벅지는 랩으로 꼭꼭 감싼 냉동 고기처럼 얼어 있었다.

'전기장판이 필요해.'

한봄은 몸을 부르르 떨었다. 2년째 북부 지역의 한파를 우습게 본 자신을 탓하며 그녀는 하늘을 올려다보았다. 이제 며칠 후면 올해의 마지막 보름줄과 저승줄이 내려온다.

주요비의 둥지는 금세 덩치를 불렸다. 1009호의 작은방을 넘어서 큰방까지 점령했다. 욕실 세면대 위로 칫솔 세 개가 나란히 달렸고 선반에는 어린이용 보디로션이 자리했다. 아이는 길강욱이 사온 가방을 메고 백승석이 주문한 패딩을 입었다. 한봄이 사준 휴대폰으로 옥자 할매나 설이와 저녁까지 통화하다가 까무룩 잠이 들곤 했다. 깊은 밤, 백승석이 좀도둑처럼 느닷없이 찾아와도 소녀는 졸린 눈으로 그를 반겼다.

까칠한 저승차사와 주요비는 생활 패턴이 비슷했다. 오후 10시면 꿈나라를 여행하는 것부터 아침에 눈을 뜨자마자 물을 한 컵 들이켜는 습관까지 일치했다. 한봄은 주로 아침 식사를 걸렀지만, 어느 날 에너지바를 물고 등교하는 주요비를 본 후부터는 살뜰히 밥을 챙겨 먹었다. 각종 주방 도구를 자발적으로 구매했다. 주요비는 다시금 숟갈을 손에 쥐었다.

"그냥 아예 거기서 살지, 무엇하러 여긴 들어와!"

옥자 할매가 호통쳤다. 옷을 챙기러온 주요비에게 섭섭함을 터뜨렸다. 눈치 보던 아이가 바닥에 가방을 내려놓으며 "그럼 오늘은 가지 말까?" 하고 물었다.

김옥자는 당장 나가라며 역정을 냈다. 어린 것도 결국에는

젊은이를 더 좋아한다며 억울해했다. 타들어가는 노인의 속도
모르고 주요비는 "할머니, 미안!" 하고 대문을 나섰다. 겨울 찬
공기에 온몸을 부딪쳤다.

　주요비에게 한봄은 예측할 수 없는 어른이었다. 사람인 척하
는 변덕스러운 고양이일지도 모른다고, 아이는 가끔 생각했다.

　한봄은 주요비에게 "넌 여기 있으면 안 돼."라며 현관문 밖으
로 쫓아내는가 하면 또 언젠가는 동갑내기처럼 유치한 장난을
걸어왔다. "꼬마." 하고 부르는 소리에 고개를 돌리면 주요비는
한봄의 뭉특한 손끝에 볼을 찔리기 일쑤였다. 차사는 앞니를 훤
히 드러내며 소녀의 볼살을 괴롭혔다.

　한봄은 김옥자보다도 많은 이야기를 알고 있었다. 주름의 개
수를 지혜의 척도로 삼았던 아이는 한봄에게 얼마나 많은 주름
이 숨겨져 있는지 궁금했다.

　오늘의 이야기 주제는 달이었다. 밤하늘 높이 반달이 보였다.
대리인의 근무지에서는 남부럽지 않게 달을 관측할 수 있었다.

　한봄이 냉장고에서 귤 두세 개를 꺼내왔다. 밤이 깊었으니 딱
하나만 배식하겠다며 아이에게 한정량을 알렸다. 거실 유리창
에 딱 붙어 앉은 주요비가 두 팔 벌려 야식을 받았다.

　한봄은 옆에 둔 하얀 이불로 주요비를 감싸며 물었다.

"보름달에 소원 빌어본 적 있어?"

주요비는 고개를 끄덕였다. 그 소원은 누가 들어준다고 생각하느냐는 한봄의 질문에 소녀는 자신감을 드러냈다.

"달에 사는 토끼요!"

"달에 토끼는 없어."

한봄은 안타깝다는 표정을 지었다. 뻔한 대답이 나올 줄은 알았지만 그렇게 뻔한 대답을 할 줄은 몰랐다는 듯이.

그것도 잠시, 한봄은 또다시 실수를 저질렀다는 생각에 주요비의 눈치를 살폈다. 어린아이와의 소통은 염라의 비아냥을 가만히 듣는 것보다도 어려웠다.

한봄이 머뭇거리며 입을 뗐다.

"내가 알려줄 수 있는 건 많이 없어. 사람은 언젠가 죽는다는 것, 그리고 그 일은 예상치 않게 찾아온다는 것 정도지."

그녀는 제 인생에 걸쳐 깨달은 진리를 주요비에게 전수하였지만 아이는 그저 입을 헤 벌리고 귤의 표피에서 하얀 부분을 뜯어내는 벗기는 데 온 신경을 집중했다.

한봄은 다른 방향으로 이야기를 풀어 보았다.

"꼬마, 그믐달이 어떻게 생겼는지 알아?"

다행히도 주요비가 흥미를 보였다. 소녀는 그믐달을 안다며 오른손으로 뒤집어진 알파벳 C를 만들었다.

"아니지, 그건 초승달이야. 자, 봐봐."

한봄이 주요비를 끌어당겼다. 하얀 셔틀콕처럼 이불에 둘러 싸인 아이가 가볍게 끌려왔다. 한봄이 주요비의 작달막한 두 팔목을 쥐고 허공에 띄웠다. 밤을 배경으로 인형극을 시작했다.

"보름달은 알겠지? 이렇게 두 손에 꽉 차도록 오동통하잖아."

한봄이 주요비의 손을 조몰락거리며 동그란 원을 만들었다.

"그리고 내가 저승차사가 되는 그믐날에는 이렇게, 달이 살 빠진 것처럼 홀쭉해지지."

한봄이 엄지손톱을 주요비에게 보여주었다. 분홍빛 속살 끝에 새하얀 달이 빼꼼 고개를 내밀었다. 이 하얀 걸 손톱달이라고도 부른다며 한봄이 명칭을 알려줬다. 아이는 여인의 가슴에 기대 햄스터같이 까만 눈을 빛냈다.

"그믐달이랑 초승달은 비슷하게 생겨서 사람들이 흔히 그 둘을 헷갈리는데 일단 오른손만 내려봐."

한봄은 밤의 무대에서 오른손을 내리고 왼손은 더 높이 들어 올렸다.

"이렇게 왼손을 살짝 오므렸을 때 껴안을 수 있는 달이 그믐달이야."

한봄이 주요비의 손등을 감싸 안았다. 아이는 천진난만한 눈동자로 두 사람이 만들어낸 달을 구경했다. 한봄은 그 순진한 눈동자를 바라보며 말을 이었다.

"그믐달은 주로 음력 27일에서 29일 사이에 떠. 우리가 쓰는 양력으로는 9일이나 10일쯤이 되겠지. 달은 위상을 바꾸고 떠오르는 위치도 매일 조금씩 달리해. 이를 보고 사람들이 흔히 '달이 서쪽에서 뜨고 동쪽으로 진다'라고 말하는데 그건 틀린 말이야."

무조건 지구중심적인 시각으로 우주를 바라봐서는 안 된다고 한봄이 설명했다. 아이는 별로 귀담아듣지 않았고 한봄도 높은 집중력을 기대하지 않았다. 그저 들려주고 싶은 이야기가 있었다. 아늑한 분위기가 그녀를 평소와 달리 수다쟁이로 만들었다. 작고 뜨거운 행성을 껴안은 제 팔뚝이 강건하다고 느꼈다.

한봄이 말했다.

"우리가 쓰는 양력은 태양의 이야기야. 태양이 주인공인 365일의 연극이라고 보면 돼. 화려하고 눈에 띄니까 우리는 주로 태양을 바라보잖아? 하지만 가끔은 어둡고 존재감 없는 달의 이야기에 귀 기울여보는 것도 의미가 있어. 새로운 일에는 진귀한 괴물들이 잔뜩 있거든."

주요비는 고개 들어 한봄을 바라봤다. 아까부터 팔이 저렸지만 언니가 행복해 보이니까 참을 만했다. 아이가 한봄의 품으로 파고들었다.

'밀어내면 어떡하지.'

겁이 나면서도 자꾸만 어리광을 부리게 됐다. 주요비가 힐끔 한봄을 훔쳐보았지만 그녀는 더욱 단단하게 소녀를 안을 뿐이었다.

"언니가 마지막으로 본 달은 이렇게 밝지 않았어."

한봄은 이제 자신의 이야기를 들려주었다. 그녀가 스스로를 '언니'라 지칭하는 일은 흔치 않았다.

주요비가 의아스럽게 되물었다.

"지금도 보고 있잖아요."

"지금 말고. 언니가 죽었을 때."

"죽을 뻔했어요?"

"죽었었지. 지금은 살았고."

주요비는 고사리 같은 손으로 자신의 이마를 짚었다. 한봄과의 대화는 수수께끼 같았다. 아무리 정답을 떠올리려 해도 아리송했다. 칭얼대던 주요비가 세상을 비탄하기에 이르자 한봄은 넌지시 이야기의 주제를 바꿨다.

"부모님 보고 싶지 않아?"

한봄이 느긋하게 주요비를 바라봤다. 시간이 걸리더라도 아이가 자신의 의견을 성립할 때까지 기다렸다.

"원한다면 전화를 걸어도 돼, 도와줄게."

한봄이 제안했지만 주요비는 고개를 가로저었다.

"그거 돈 많이 들잖아요."

다 안다면서 기어가는 목소리로 답했다. 한봄은 그건 어린애가 걱정할 사항이 아니라 어른들의 문제라고 일축했다. 그러니 다시 한번 곰곰이 생각해보라고 말했다. 부모님과 헤어지고 지금까지 느꼈던 감정에 집중해보라고. 부모님이 좋은지 원망스러운지, 목소리를 들으면 화가 나거나 울 것 같지는 않은지. 그렇게 감정의 꼬리를 물고 쫓아가다보면 '그래도 보고 싶어' 혹은 '그래서 안 보고 싶어'로 결론이 날 거라고 조언했다.

"해답을 찾는 여정에서 많이 헤매겠지만 자신이 힘들게 걸어온 길을 믿고 결론을 받아들이면 돼."

그러고 나서 자신에게 알려달라고 한봄이 말했다.

"언니가 내는 숙제는 항상 어려워요."

주요비가 뽀로통한 얼굴을 했다. 머리에서 이렇게 김이 나는 것 같다며 아이는 짜리몽땅한 손가락으로 모락모락 피어오르는 수증기를 표현했다. 한봄이 작은 머리통에 차가운 손을 얹어 뜨거운 정수리를 식혀주었다.

주요비가 돌연 고개를 끄덕였다. 입술을 다물고 볼살에 굳은 의지를 꽉꽉 채워 넣었다. "그래도 내가 직접 생각해볼래요." 하고 주먹을 불끈 쥐어 보였다.

일주일만 시간을 달라는 아이에게 한봄은 음력 15일까지 알

려달라며 일방적으로 기한을 통보했다. 주요비는 음력을 셀 줄
모른다고 불평했지만 한봄은 "달력을 자세히 봐봐." 하며 실마리
를 던져주었다.

한봄은 주요비의 머리를 쓰다듬었다. 아이는 놀랍도록 빨리
자랐다. 새까만 머리카락이 어느새 그녀의 어깨에 닿았다. 한봄
은 일 년 새 훌쩍 성장한 주요비를 가랑이 사이로 끌어들였다.
명주실처럼 고운 아이의 머릿결을 쓸어내렸다. 주요비는 불편하
다는 듯 몸을 뒤척였고 한봄의 품에서 벗어났다. 주요비는 정수
리에 얹은 한봄의 팔목을 끌어내리며 말했다.

"언니, 저는 머리 쓰담쓰담하는 것보다 이렇게 안아주는 게
더 좋아요."

주요비가 팔을 활짝 벌렸다. 마치 기념일마다 가게 매대에 즐
비한 곰인형처럼. 그 작고 소중한 존재를 바라만 봤던 한봄이
주요비를 꼭 끌어안았다.

한봄의 하루 일과는 아침상을 차리는 것으로 시작됐다. 할 일 없이 창밖을 내다보거나 문자메시지로 "뭐 해?" 하고 괜스레 백승석을 찔러보던 일상이 변해갔다.

주요비는 스쿨버스 탑승을 거부했다. 1km를 혼자 걸어가더라도 한봄과 등교하기를 원했다. 현관문 앞에서 기다리는 아이에게 여인이 검지를 내밀었다.

골목의 다육 식물 가게 앞. 그곳에 서 있는 가로수까지가 한봄에게 허용된 활동 범위였다. 그 경계의 끝을 밟고 한봄이 손을 놓았다. 꼭 맞잡았던 온기를 떠나보내는 것이 아쉬웠지만 그녀는 하굣길에 마중 나오는 것으로 쓸쓸한 마음을 달랬다.

오늘은 11월의 보름날. 양력으로는 12월 18일이었다. 바다사자 인형과 놀고 있던 주요비가 빼꼼 얼굴을 내밀었다. 한봄은 식탁에 앉아 노란 종이 위에 글씨를 끄적이고 있었다.

주요비는 대뜸 가슴을 부풀리며 등장했다. 늠름한 장군처럼 두 손으로 허리를 짚더니 "이번에는 말고 다음에요."라고 말했다. 느닷없는 소리였지만 한봄은 그것이 부모님과의 전화 연결에 대한 소녀의 답변이라는 것을 알아챘다. 자세한 이유를 물었지만 주요비는 "몰라요." 하고서는 새침하게 침실로 도망쳤다.

한봄은 사자복을 입으면서 주요비를 돌아봤다. 전화 테이블에 앉기 전에 재차 아이의 기분을 확인했다. 창문 바깥에서는 이미 투명한 아지랑이가 기어오고 있었다. 주요비는 한데 뒤엉켜 꾸물거리는 염원들을 멀찍이서 바라보며 괜찮다고 고개를 끄덕였다.

소녀는 얌전히 앉아 언니를 기다렸다. 한봄이 일을 끝마칠 때까지 앞니를 붙잡고 흔들며 놀았다. 잇몸에서 피가 묻어나오고 나서야 소녀는 위험한 장난을 멈췄다.

주요비는 막 의자에서 내려온 한봄의 옆구리에 매달렸다. 입을 쩍 벌리고는 말했다.

"엉니, 나 이가 흥들려여."

유치는 며칠 전부터 덜렁거렸는데 결국 무시할 수 없는 수준에 이르고 말았다. 한봄은 반짇고리를 빼들었다. 흰 실을 빼내 조악한 앞니에 둘렀다. 주요비는 눈을 질끈 감고 이- 해 보였다. 보기 안쓰러웠지만 한봄은 머뭇거리지 않고 실을 잡아당겼다. 동시에 다른 손으로 아이의 이마를 힘껏 쳐 밀었다.

앞니가 허공에 떠올랐다. 낚싯바늘에 걸려 나온 대어였다.

주요비가 불의의 기습에 눈을 동그랗게 떴다. 아이는 이번에도 의연함을 잃지 않을 거라고 한봄이 예상한 것과 달리 주요비는 "악!" 하고 소리 질렀다. 눈물을 떨구며 꺼이꺼이 오열했다.

한봄은 급하게 휴지를 뽑아서 피가 흐르는 앞니에 갖다 댔다.

머릿속에 별똥별이 떨어진 줄 알았다. 주요비는 볼록 부풀어 오른 이마를 문질렀다. 아랫니도 흔들린다는 사실은 당분간 비밀에 부쳐야겠다고 생각했다.

그날따라 한봄은 주요비 옆에 붙어 살뜰히 챙겼다. 평소에는 손도 못 대게 했던 초콜릿을 잘게 쪼개 몇 조각 내밀었다. 소쿠리 그득히 귤과 딸기도 담아주었다.

날름 받아먹은 탓인지 아이는 급한 요의를 느끼며 새벽에 눈을 떴다. 왼쪽 얼굴이 차가웠다. 신기하게도 오른쪽은 따뜻하다 못해 뜨거웠다. 주요비가 눈곱 낀 눈을 비볐다. 조심히 몸을 일으키자 스르륵- 하고 담요가 어깨에서 떨어졌다.

'어제 거실에서 잤는데?'

눈을 떠보니 침대였다. 주요비는 전기장판에 대고 잠든 뺨에 손뼉을 붙이고 찬기를 녹였다. 옆에 모로 누워 깊게 잠든 언니의 얼굴을 한 번 쳐다봤다. 조심스럽게 코끝을 꾸욱- 누르자 한봄이 움찔했다. 입술을 달싹이더니 반대쪽으로 돌아 누웠다. 주요비는 깨금발로 안방을 빠져나와 바로 화장실에 달려 들어갔다.

급한 불을 끄고 나서야 아이는 벽시계가 눈에 들어왔다. 오전 5시. 따뜻한 방바닥 위로 찬 공기가 머무는 시간이었다.

주요비는 전화 테이블을 바라봤다. 한봄은 그 주변을 근무지라고 표현했다. 참새가 방앗간을 그저 지나랴. 아이는 꿈의 체험 현장으로 돌진했다. 감시자가 잠에 취해 쓰러졌으니 용사가 나설 순간이었다.

주요비는 테이블에 한쪽 발부터 얹었다. 등받이를 붙잡고 험준한 산을 오르듯 등반했다. 그러고는 한봄처럼 의자에 발가락을 끝까지 밀어 넣었다.

전화기의 네모난 몸체는 무거워 보였다. 황금색 수화기나 전화 걸이는 표면에 부식 없이 매끈했다. 잘 관리된 골동품이란 느낌을 풍겼다. 주요비는 태엽처럼 생긴 숫자판의 버튼을 눌렀다. 용수철이 손가락을 튕겨내길 기다렸지만 아무런 반응도 없었다.

'분명 전화기 맞는데?'

주요비는 별생각 없이 수화기를 집어 들었다.

아무런 소리도 들리지 않았다. 혹시나 달이 마법을 부리는 데 시간이 걸리나 싶어 얌전히 기다렸던 소녀는 지루함에 몸을 비비 꼬았다. '에잇, 언니 말만 듣나 보다' 하고 수화기를 내려 두려는데, 응답이 돌아왔다.

"안녕." 하고 남자 목소리가 들렸다.

주요비는 "안녕하세요!" 대답하며 마치 수화기 너머의 남자가 눈앞에 있기나 한 것처럼 고개를 숙였다. 열렬한 반동에 긴 머리카락이 허공에 흩날렸다. 심장은 콩닥거리고 수많은 물음표가 작은 머리통을 주마등처럼 스쳐지나갔다.

'뭐부터 물어보지?'

고민이 됐지만 주요비는 긴 망설임 끝에 부모님을 찾았다.

"우리 엄마랑 아빠 좀 바꿔주세요."

그 순간이었다. 쾅- 소리를 내며 큰방 문이 활짝 열렸다. 깜짝 놀란 주요비가 파르르 떨며 일어섰다. 손에서 놓친 수화기가 전화걸이 위로 떨어졌다.

"야, 꼬마."

한봄이 주요비를 불렀다.

주요비는 울먹거리며 한봄을 올려다보았다. 아이는 제자리에 서서 옴짝달싹 못했다.

"언니…… 나 땅 밟았어요."

한봄이 쿵쾅거리며 다가왔다.

"아니야."

그녀는 주요비의 팔을 잡고 자리에서 끌어냈다. 주요비는 닭똥 같은 눈물을 흘리며 한봄에게 매달렸다.

"나 이제 죽는 거예요? 나, 나도 다 알아요. 애들이 그랬는데, 어, 전화하다가 땅 밟으면 안 된다고 했는데-."

"아니야, 안 떨어졌어. 안 죽어."

"떨어졌는데……."

"아니야, 아니라면 그런 줄 알아!"

한봄이 고함쳤다.

주요비는 처음 듣는 큰소리에 아연실색했다. 너무 놀란 나머지 울음을 그쳤다.

한봄이 거실을 두리번거렸다. 주요비의 가방을 가져와선 거친 손길로 물건을 챙겨 넣었다. 빠르게 움직여 이번에는 작은방으로 들어갔다.

주요비는 발을 동동 굴렀다. 차마 언니에게 가까이 다가가지 못하고 불안한 마음으로 한봄을 바라보았다.

"언니, 왜 그래요. 무서워……."

"무서우면 할머니한테 손 잡아달라고 해. 다신 여긴 얼씬거리지 말고."

한봄이 아이에게 가방을 내밀었다. 바다사자 인형도 손에 쥐여주고는 현관문을 턱짓했다. 진말 말고 나가라는 신호였다. 그녀는 흥분을 참느라 가슴을 씩씩거렸다.

주요비는 울음을 삼키며 한봄의 눈치를 살폈다. 일찍 철이 든 아이는 떼 부리는 법을 몰라서 언니의 뜻대로 신발을 신었다.

'언니가 기분이 안 좋은가 보다.'

주요비는 애써 울적한 마음을 달랬다. 소녀가 뒤돌아보았다. 현관문 손잡이를 붙잡고 버려진 강아지처럼 애처로운 표정을 지었지만 한봄은 자신이 내뱉은 말을 철회하지 않았다.

주요비가 사라지자마자 한봄은 거실로 돌아왔다. 손톱을 물어뜯으며 다이얼 전화기를 쏘아보았다. 한 시간, 두 시간, 그렇게 하루. 태양의 새하얀 그림자가 누렇게 변해 붉은 궤적을 그리고 사라지도록 전화기는 울리지 않았다.

열흘이 지나도록 한봄은 집에 틀어박혀 있었다. 이따금 휴대폰 진동 소리가 울렸지만 그녀는 모든 외부 자극을 차단하고 전화 테이블에 앉아 꼼짝하지 않았다.

그믐 전날 오후에는 옥자 할매가 찾아왔다.

"대리인 양반, 문 좀 열어봐."

노인이 1009호 문을 두드렸지만 한봄은 반응하지 않았다. 그때 누군가 훌쩍이며 "할머니, 언니 많이 화났어?" 하고 물었다. 이 빠진 말소리가 듣기 싫어서 한봄은 눈을 감았다.

김옥자가 점점 목청을 올리더니 더 이상 참지 않고 분통을 터뜨렸다.

"애가 사과하고 싶대, 문 좀 열어줘 봐!"

옆에서 주요비가 노인을 말리는 소리가 들렸다.

"언니, 물건 마음대로 만져서 죄송해요. 한 번만 용서해주세요."

아이가 대문에 대고 외쳤다.

"부모님은 나중에 볼래요. 저 진짜 생각 많이 했어요. 물론 꿈꾸거나, 어, 그럴 때는 보고 싶긴 한데, 지금은 언니랑 오빠랑 같이 있는 게 좋아요. 언니, 보고 싶은데 문 열어주시면 안 돼요?"

꾹꾹 울음을 참던 아이가 이제 대성통곡을 했다. 무슨 말을 하는지 알아듣지 못할 정도로 숨을 꺽꺽 몰아쉬었다. 보다 못한 옥자 할매가 짜증을 냈다.

"애가 이렇게 말하는데 얼굴이라도 비춰!"

아니면 전화라도 받으라는 말에 한봄이 책상 위를 쳐다봤다. '3층 꼬마'가 화면에 떠 있었다.

휴대폰 괜히 사줬어. 한봄은 무릎 속에 얼굴을 파묻으며 후회를 삼켰다.

그녀는 요지경 속을 헤맸다. 솜사탕 기계에 빠져 빙빙 돌았다. 오색 빛깔 비단을 몸에 걸치고 돌고 돌았다. 팽이처럼 회전하다가 원심력을 이기지 못하고 튕겨져 나갔다. 정신이 아득해졌고 한봄은 헉 소리를 내며 눈을 떴다.

그녀는 시간부터 확인했다. 새벽 6시였다. 지옥의 불호령이 떨어지지 않은 것으로 보아 아직 그믐달은 뜨지 않은 듯했다. 한봄은 세차게 고개를 흔들었다. 다시금 다이얼 전화기를 노려보아도 애꿎은 휴대폰만 웅웅 몸을 떨었다. 진동 소리가 신의 계시인 양 전신에 울려 퍼졌다. 한봄은 끈질기게 울려대는 휴대폰을 신경질적으로 집어 들었다. 발신자는 길강욱이었다. 그는 수십 통의 전화 끝에 경고의 문자메시지를 날렸다.

오늘 일 끝나면 찾아갈 줄 알아.

휴대폰 화면이 반짝 빛났다 꺼졌다.

오늘은 양력으로 마지막 그믐달이 떴다. 한봄은 제 업무를 떠올리며 몸을 일으키다가 머리를 옥죄는 현기증에 비틀거렸다. 당장 어딘가에 기대지 않으면 쓰러질지도 모른다는 생각이 들었다. 머리와 어깨는 기분 나쁘도록 쿡쿡 쑤셨고 척추는 꼬리뼈부터 무너지는 듯했다.

'언제까지 이러고 사는 걸까.'

한봄은 근본적인 의문을 제기했다.

희미하게 깨어 있던 그날, 부모님을 바꿔달라는 주요비의 말에 한봄은 벌떡 일어섰다. 수화기를 집어 든 아이와 시선을 마주한 순간 그녀는 격렬한 수치심을 느꼈다. 여태껏 살아온 삶을 부정당하는 강한 충격을 받았다. 그다음으로는 새빨간 배신감이 가슴속에 차올랐다.

심경이 복잡한데 배는 허기지다며 난리를 피웠다. 한봄은 뭐라도 먹어야겠다는 생각으로 냉장고문을 열어 내부를 살폈다. 평소 즐겨 먹었던 달걀과 어린이용 치즈, 건강 음료수가 아니라 오늘따라 어떤 용기에 눈이 갔다. 냉동고 3단 깊숙한 곳에 숨어, 내부 조명을 가리고 있는 강된장이었다. 한봄은 반찬통을 집어

들었다. 투명한 용기가 찬란한 푸른빛을 띠었다.

한봄은 덜 데운 강된장을 흰쌀밥에 부어 먹었다. 꼭꼭 씹어 보지만 목구멍은 세 숟갈 이상 넘기지 못했다.

결국 식사는 그만두었다. 잔반을 음식물 쓰레기통에 쓸어버리며 한봄이 조소했다. 사람을 죽이겠다고 밥을 먹고 자고, 이 행위를 언제까지고 반복할 생각에 자기혐오를 멈출 수가 없었다. 정작 생각을 정리할 시간이 필요한 쪽은 주요비가 아니라 그녀였다.

한봄은 몸을 일으켰다. 하고 싶은 일을 하고 있느냐는, 권은경의 목소리가 불현듯 뇌리를 스쳤다.

한봄은 도로 전화 테이블에 앉았다. 벽시계를 확인하고 여유 있게 움직였다. 사자복에 팔을 끼웠다. 테이블 밑에서 빗접을 꺼내 깡마른 무릎 위에 올렸다. 함 뚜껑을 열어 붓을 움켜쥐고 홍화 연지를 눈두덩이에 칠했다. 또 평소에 만지지도 않던 금목걸이와 비취가락지도 집어 들었다.

거울 속의 차사는 무척 화려했다. 눈밭 속 맹렬한 불꽃을 연상하는 흰 피부와 시뻘건 눈 화장이 시선을 끌었다. 한봄은 초라한 마음을 감추기 위해 겉모습을 치장했다.

그녀가 검지로 공지판을 훑었다. 잿빛 연기가 피어오르더니 판자 위로 글자가 올라왔다.

대리인 한봄   접속 승인 완료

××시 ××면 암곡리 관할   ××년/ ××월/ ××일

면적 20km 반경 3km   오늘의 일출 시각 07:00

인구 14,019명 3,144가구   전화 신청자 0명

                            사망 신청자 2명(거절 1 포함)

오늘 죽는 사람은 한 명이었다.

'하나는 거절당했네.'

다행이라는 생각이 들었다. 저승줄에 매달아 보낼 영혼이 줄었다는 사실에 안도한 스스로가 한봄은 놀라웠다. 그래도 긴장을 늦출 순 없었다. 생자의 허락 없이 내려오는 저승줄은 언제 그들의 목숨을 노릴지 모른다.

그믐날은 유독 통화 신청이 드물었다. 신청이 아예 안 된다고 알고 있는 자들도 많았다. 사람들은 비싼 통화 사용료를 빈번이 문제 삼았지만, 막상 망자가 공짜로 내려주는 그믐줄은 꺼려했다. 그리움의 무게는 죽음의 무게보다 가벼웠다.

한봄은 다시 한번 공지판을 훑었다. 이번에는 사망 신청자의 명단이 올라왔다.

03-0411

03-0301

3동 301호? 뒤늦게 떠오른 연결번호는 아찔한 기시감을 불러 일으켰다.

꿈인가? 믿을 수 없었다. 한봄은 제 뺨을 세게 내리쳤다. 그녀는 주요비가 사망신청자에 올랐을 리 없다고 되뇌면서도 계속해서 판을 쓸어내렸다.

'보름날 전화 신청을 받은 적이 없잖아!'

하지만 명단은 변하지 않았다. 필사적인 그녀를 조롱하듯 저승은 어떤 연결 번호가 거절이고 승인인지 알려주지 않았다.

한봄이 이를 악물었다. 실타래함을 주먹으로 내려쳤다. 빗접을 위협하듯 라이터로 불을 붙여 봐도 한봄의 속만 썩어 문드러질 뿐이었다. 흥분으로 몸이 부들부들 떨렸다.

"어째서……."

한봄은 주요비의 사망 신청을 부정했다. 그녀는 언제든 보름줄을 대리 신청해주겠다고 했지만 아이는 고개를 저었고 그런 주요비의 선택을 한봄은 존중했다. 비록 어린이에게 부모는 세상의 전부라고 하지만, 한봄은 그 전부를 잃은 주요비가 살아갈 새로운 세상을 곁에서 지켜보고 싶었다.

한봄은 분개했다.

"왜 이제 와서!"

주요비의 부모는 지금까지 단 한 번도 그믐줄을 내리지 않았다. 그것이 그들의 죄책감 때문이었든 책임감 때문이었든, 이승에 홀로 남은 아이를 위한 일일 거라며 한봄은 남몰래 고개를 끄덕이고 있었다.

천장에서 그믐줄이 내려오고 있었다. 뱀처럼 스멀스멀 기어왔다. 공격할 틈을 엿보는 것처럼 좌우로 몸을 흔들었다. 한봄은 몸을 잔뜩 움츠렸다가 의자를 박차고 일어섰다. 그믐줄이 쏜살같이 그녀의 뒤를 쫓았다. 한봄은 식탁 위로 도망쳤다. 붉은 천을 피해 실타래함을 하늘 높이 뻗어보지만 이미 덫에 걸린 토끼 신세였다. 그믐줄이 몸을 친친 감고 숨통을 옥죄었다.

"안 돼!"

한봄이 독사의 덜미를 움켜쥐었다. 자개함을 최대한 멀리 떨어뜨렸으나 그믐줄이 삽시에 팽창해 뚜껑을 날려버렸다. 재빠르게 2단 구멍 속을 통과하려 했다.

한봄은 눈을 홉떴다. 핏발이 서도록 집중했다.

'색깔만 확인하면 돼!'

그믐줄을 필사적으로 잡은 손이 부들부들 떨렸다. 거센 악력에 팔까지 후들거렸다.

한봄은 전구를 뚫어져라 쳐다봤다. 팽팽한 긴장감에 시야가 새하얗게 변했다. 하지만 안타깝게도 두 명의 사망 신청자 중, 주요비의 순서가 먼저였다.

한봄은 더 이상 망설이지 않고 끈을 물어뜯었다. 어금니 깨지는 소리가 소름끼치게 입안을 울렸다. 그녀는 끝까지 제가 있을 곳을 향해 헤엄치는 그믐줄을 움켜쥐고 라이터 뚜껑을 열었다.

우매한 짓 말거라.

저승 왕의 목소리가 하늘을 울렸지만 한봄은 아랑곳하지 않고 부싯돌을 부딪쳤다.

"진작 하지 그랬어."

불꽃이 그녀를 나무라듯 삽시에 타올랐다. 퍼엉- 하고 큰 폭발을 일으켰다.

한봄은 익숙한 귀울림을 느끼며 몸을 일으켰다. 정신을 차리기도 전에 직감했다. 또다시 저승의 심판대에 떨어졌다는 것을. 한봄은 제 어머니와 함께 처음 염라 앞에 섰던 기억을 회상하며 고개를 들었다. 경외하는 화마가 높은 단상 위에서 미약한 인간을 내려다보고 있었다.

네놈이 기어이!

염라가 노여움을 토해냈다. 강력한 사자후에 한봄이 밀려났다. 그녀는 지푸라기라도 잡는 심정으로 바닥을 마구 헤집었다. 무엇이든 움켜쥐고 버티려 했지만 소용없었다.

염라가 손가락을 휘두르자 한봄이 곧장 끌려왔다. 잡아당기는 힘이 끊기자마자 바닥에 철퍼덕 쓰러졌다.

한봄은 헐레벌떡 바른 자세를 취했다. 두 손을 이마 앞에 공손히 모았다. 그믐줄에 베인 상처가 울컥울컥 피를 뱉어내 웅덩이를 이루어도 그녀는 치욕이라 생각하지 않고 더욱 납작 엎드렸다.

"염라대왕이시여."

한봄이 천천히 고개를 들었다. 그녀는 이해할 수 없다는 듯 혼란스러운 얼굴로 물었다.

"그들은 왜 이제 와서 생자를 찾는 겁니까. 아이가 자기들 것이랍니까? 아직 사리 분별 못하는 어린아이라면 죽은 부모 손에 목숨을 빼앗겨도 되는 겁니까?"

한봄은 실핏줄 터진 눈을 부릅떴다. 턱 근육이 불끈할 정도로 이를 악물었다.

"그럼 진작 했어야지요. 그들이 죽고 1년이 넘게 흘렀습니다. 그믐줄을 내릴 거였다면 진작 내렸고 그리웠다면 진작 그리웠겠지요!"

한봄은 증오 섞인 말을 토해냈다.

염라가 다가왔다. 한봄은 지옥 불의 열기에 숨이 턱 막혔다. 고여 있던 핏물은 순식간에 증발했다. 그녀는 손톱으로 바닥을 긁었다. 넓게 벌어진 상처가 자글자글 익어가고 있었다. 한봄은 작열통을 견디다 못해 눈동자를 까뒤집었다. 억 소리도 못하던 입에서 짐승 같은 울음소리가 터져 나오려 할 때에서야, 염라가 모습을 바꾸었다.

제5지옥을 가득 채웠던 불기둥이 크기를 줄였다. 염라가 3m가 넘는 인간의 모습으로 한봄 앞에 섰다. 그가 발을 내디딜 때마다 곳곳에 숨어 있던 악귀들이 오들오들 떨었다.

한봄도 두렵기는 마찬가지였다. 아까부터 다리가 말을 듣지 않았다. 그녀는 벌벌대는 몸을 통제하지 못하고 겨우 고개만 들었다. 염라를 또렷하게 주시했다.

저승 왕이 허리 굽혀 한봄을 내려다보았다.

허면, 네 놈 말마따나 그 아이는 네 것이더냐? 어찌 부모와 자식의 연을 한낱 차사가 멋대로 판단하느냐, 감히!

그가 입을 벌리자 목구멍 속에서 화마가 솟구쳐 올라왔다. 아궁이에 머리통을 집어넣은 듯이 뜨거웠다. 한봄은 눈도 제대로 뜨지 못한 채 식은땀을 흘렸다. 염라의 분노를 요령 없이 정면으로 받아냈다.

염라가 차사를 나무랐다.

어리석은 놈. 내 비록 네 수명이 다하지 않아 여생을 살 기회를 줬거늘. 다시 저승으로 돌아오고 싶은 것이냐?

그의 꾸지람에 한봄이 곧장 대답했다.

"원하신다면 그리 하십시오."

그가 원한다면 제 목숨을 거두어가도 좋다고 염라에게 고했다. 그녀는 더 이상 비겁한 집행자이고 싶지 않았다.

"대신 주요비에게 그믐줄 내리는 것은 한 번만 미뤄주십시오."

한봄이 부탁했다. 제게 베풀었던 것처럼 그 아이에게도 기회를 달라고 염라에게 간청했다.

그리 쉽게 내놓을 목숨이었더냐?

염라가 그녀를 비웃었다.

내 와신상담하는 자는 외면하지 않는다 하였던가? 허면 심판을 통해 죄인에게 벌을 내리도록 하지.

지옥 왕이 옥좌로 돌아가며 말했다.

하나 죽는다 하여도 이번에는 쉬이 돌아올 수 없을 것이니라.

생자의 운명에 멋대로 끼어든 저승차사에게 지옥의 심판이 내려졌다. 염라의 옥좌 뒤에서 사자가 튀어나왔다. 지옥의 짐승은 푸르르- 몸을 털며 불타는 갈기를 과시했다. 등에는 제 몸보다 큰 업경대를 이고 있었다. 지옥의 심판이라면 빠질 수 없는 판관이 붉은 제복을 흩날리며 달려왔다. 그는 죄인을 벌할 생각에 신이 나 잔뜩 흥분한 얼굴이었다.

한봄은 염라와 수없이 함께했던 지옥의 재판장에 죄인의 신분으로 올라왔다. 그녀는 수사자가 얼마나 날쌔게 사람을 반 토막 낼 수 있는지 알고 있었다. 코끼리의 상아보다도 긴 이빨이 죄인의 헛바닥을 관통하면 판관이 생자의 머리를 뽑았다. 영혼을 파괴하여 회생할 기회마저 빼앗았다.

업경대를 짊어진 수사자가 으르렁- 포효하자 암사자가 옥좌 반대편에서 뛰쳐나왔다. 암사자는 성큼성큼 달려와 두꺼운 앞발로 생자의 등을 짓밟았다. 한봄은 숨도 쉬지 못한 채 바닥에 엎드렸다. 희뿌연 시야로 새빨간 얼굴의 옥졸이 보였다. 그는 허리춤에 거적때기를 두른 걸인이었다. 손에는 나무뿌리도 뽑을 법한 커다란 집게를 쥐고 위협적으로 죄인을 공갈했다.

그때 지옥의 수하들을 비집고 판관이 걸어 나왔다. 그는 오랜만이라는 듯 한봄을 보고 생긋 웃고는 단번에 그녀의 머리채를 잡아 올렸다. 두피가 찢어지는 고통에 한봄이 눈살을 찌푸렸다. 업경에 일그러진 얼굴이 비쳤다.

왕의 옥좌에서 염라가 외쳤다.

제5지옥의 심판 과정은 네놈이 더 잘 알겠지. 죄인은 죄를 고하라. 차사 한봄의 죄는 내 친히 적도록 하지.

대왕이 그의 옆에 서 있던 또 다른 판관에게서 두루마리를 뺏어들었다. 눈치 빠른 수하가 상사에게 붓을 공손히 넘겼다.

한봄이 침묵하자 판관이 머리채를 잡아챘다. 목뼈가 빠질 듯이 뻐근했다. 옥졸은 쉭쉭- 바람 새는 소리를 내며 눈을 홉떴다. 지옥의 심복은 고통으로 물든 죄인의 얼굴을 즐거운 듯 바라보았다. 그는 망자에게 잔혹하고 대왕 앞에서는 비굴하기 그지없는, 한봄이 혐오하는 종족이었다.

한봄은 옥졸을 무시하고 업경을 바라보았다.

"제 죄라 하면, 대왕. 저는 이만 지쳐버렸습니다."

거울에 비친 여인의 몰골은 초라했다. 얼굴은 너저분했고 턱을 다물 힘조차 남아 있지 않아 볼품없이 입을 헤 벌리고 있었다. 그럼에도 한봄은 쉼 없이 자신의 죄를 고했다.

"사람을 죽이고 싶지 않아, 죽음을 청하는 자에게 삶을 쉬이 판단하지 말라고 나무랐습니다. 그런 주제에 죽음을 앞둔 이에게는 저승은 두려운 곳이 아니라고 거짓 조언을 했습니다."

눈물은 뺨을 타고 흐리기도 전에 증발했다.

"대왕, 저는 지쳐버렸습니다. 다가오는 이를 밀어내고 손을 내미는 이웃에게 무례하게 구는 것에 지쳐버렸단 말입니다!"

한봄은 몸 바쳐 호소했다. 나뭇가지에 걸린 손수건처럼 나부꼈다. 모든 것을 포기한 여인이 땅에 머리를 박았다. 그녀는 어깨를 들썩거리며 흐느껴 울더니 벌떡 일어섰다. 수사자가 방심한 틈을 타 짐승의 앞발을 피하며 옆으로 굴러 재빠르게 탈출했다. 붙잡으려는 판관을 뿌리치고 한봄은 옥좌 앞으로 달려갔다. 뒤늦게 집게를 들고 쫓아오는 옥졸을 발길질로 밀쳐내고 염라대왕 앞에 다시 무릎을 꿇었다.

"대왕! 이 목숨은 그만 거두서도 좋으니, 아니, 명부시왕을 다 만나도 좋으니 부디 그 어린 것에게도 한 번만, 먼 옛날 저에게 은혜를 베푸셨듯이 기회를 주세요. 딱 한 번이면 됩니다."

아직 하지 못한 말이 많았다. 한봄은 봄 노래를 빼앗긴 꾀꼬리처럼 절망했고 지아비를 잃은 제 어미처럼 흐느꼈다. 이제 그만 끝내고 싶다는 말을 꾸역꾸역 삼키며, 염라의 심판이 한시

빨리 내려지기만을 기다렸다.

대왕이 들고 있던 붓을 내려놓았다. 한봄이 밝힌 죄목을 훑어보고는 시선을 돌려 업경에 비친 그녀의 진실된 죄목을 살펴보았다. 죄인의 발언이 거짓이라면 혀가 뽑힌 채 지옥에 버려질 것이었다. 멈추었던 떨림이 다시금 한봄의 몸을 지배했다.

마침내 저승의 왕이 입을 열었다.

대가를 그리 값싸게 바친다면 내 구미가 당기겠느냐? 귀한 기회를 얻으려면 대가 또한 귀히 여겨야 하거늘. 두 번째 목숨도 이리 막치기 취급을 할 것이더냐?

염라가 어느새 길강욱의 얼굴을 했다. 눈망울은 이채를 띠고 눈썹이 꿈틀거렸다. 장난 어린 말투에서 한봄은 느슨해진 긴장감을 읽었다. 그가 넌지시 던진 허락의 의미를 눈치챘다.

옥졸이 경기를 일으키며 날뛰었다. 판관 또한 몸을 꼼지락거리며 불만을 표했다. 하지만 염라가 뒤돌아보자 그들은 꼼짝도 못하고 고개를 조아렸다.

한봄은 그가 던진 물음에 쉽게 답하지 않았다. 다만 그녀가 확신할 수 있는 사실 하나를 고했다.

"이번에 보내주신다면 절대 제가 먼저 생을 포기하진 않겠습니다."

봄이야, 퍽 확언하는구나.

지옥의 대왕이 인간의 약조를 조롱했다.

그가 몸의 크기를 줄였다. 붉은 화마가 망토처럼 길게 늘어졌다. 염라가 천천히 걸어오면서 수만 가지로 얼굴을 갈아 끼웠다. 옛날 어느 마을의 사람들, 유명했던 점쟁이, 울적한 얼굴의 사내, 푸른 원피스를 입은 여인, 저승과 계약을 맺은 영생의 남자, 제 딸의 목을 조인 여자. 염라는 잔인하게도 한봄이 가장 그리워하는 산골 의원의 모습으로 그녀 앞에 섰다.

어디, 인간 세상에 절대라는 진리가 통하는가.

염라가 바닥에 엎드린 생자에게 손을 내밀었다. 그 두툼한 손바닥을 붙잡고 한봄이 몸을 일으켰다. 그녀는 자신이 지을 수 있는 가장 온화한 표정으로 아버지를 바라봤다.

"염라가 지켜봐주시면 되지 않습니까. 과거만 알지, 미래는 못 보십니까?"

길강욱은 사람의 수명도 본다던데. 한봄이 은근하게 염라의 능력을 떠보았다. 대왕은 어처구니없다는 듯이 한봄을 바라봤다. 뒤에서는 불만을 품은 판관과 옥졸의 시선이 따라붙었다. 그들은 죄인에게 내려질 자비 없는 최종 판결을 기다리고 있었다.

대왕은 한봄을 발견했던 순간을 떠올렸다. 소녀는 돌팔매를 맞고 있었다. 타들어가는 갈증 속에서도 어미를 이해하고자 노력했고 죽는 운명에 순응했다. 염라는 그 온순한 혼백이 탐이 났다. 빨리 아이의 숨통이 끊어지길 열망했다. 착한 것이라면 사족을 못 쓰는 극락정토에게 저것을 빼앗길까 봐 애가 탔다. 염라는 저승줄을 내려 아미타불의 시야를 가리고 마침내 소녀를 손에 넣었다.

지옥의 심판대 위에서도 아이는 온순한 개처럼 굴었다. 입술이 말라붙어서 한 마디도 못하는 와중에 판관과 맞서 싸웠다. 비쩍 마른 팔뚝으로 어미를 보호했었다.

아이의 심지가 너무 곧았던 탓일까. 그도 아니면 속세 구경을 너무 오래 시켜준 것이 화근이었을까. 염라대왕이 제5지옥의 말 잘 듣는 후계자로 세우려 했던 인물은 결국 인간에 대한 측은지심을 버리지 못한 채 그들의 세계로 돌아가려 했다.

염라가 어깨를 으쓱했다.

미래는 사람의 일. 나는 단지 과거의 죄를 심판할 뿐이다.

한봄을 마주보고 말했다.

이번 한 번뿐이다. 다음부터는 네놈도 방해하지 못하겠지.

대왕이 판결을 내렸다.

저승차사 한봄은 오늘부로 보직을 박탈한다!

쩌렁쩌렁한 목소리가 지옥에 울려 퍼졌다. 한봄은 그의 허락에 무한한 감사를 표하며 고개 숙여 인사했다. 그녀의 마음속에 언젠가의 물음이 떠올랐다.

'이게 감사한 일이던가?'

그 언젠가와 다르게 한봄은 용솟음치는 환희를 느꼈다.

염라가 손을 저었다.

호들갑 말거라. 어차피 네가 지키려 한 생자의 사망 신청은 거절되었다.

강짜 좀 부려봤다며 그가 쯧쯧 혀를 찼다.

괜히 왔다가 아까운 눈만 버리게 되었구나.

한봄이 염라를 의아한 눈으로 바라본 순간이었다. 세상이 새까매졌다. 거인이 제 얼굴을 부쉈다고, 한봄은 말도 안 되는 상상을 했다. 머리에 가해진 큰 충격에 그녀가 뒷걸음질했다.

대왕이 그녀의 왼쪽 눈을 가리고 있었다. 순간적으로 멈췄던 한봄의 심장이 고동쳤다. 과도하게 숨을 몰아쉰 목구멍이 색색거리자 염라가 쉬이- 그녀를 달랬다. 다른 손으로 그녀의 어깨를 토닥였다.

그래도 대가는 받아야겠지.

염라가 고개를 끄덕였다.

저승이 우습게 보일 수는 없으니 말이다.

대왕이 한봄의 눈알에 박았던 손가락을 빼냈다. 동시에 그녀가 무너지듯 무릎을 꿇었다.

한봄은 덜덜 떨리는 손바닥을 왼쪽 눈앞에 갖다 댔다. 분수처럼 쏟아지는 핏물을 기대한 것은 아니었으나 괴이하게도 피는 한 방울도 묻어나지 않았다. 한봄이 파들파들 떨며 고개를 들었다. 염라가 보기 안쓰럽다는 듯 인상을 구겼다.

목숨을 거둬 가도 좋다더니. 거짓말을 했더구나, 이토록 살고 싶으면서.

그의 말에 한봄은 어지럼증을 느꼈다. 갑작스레 달라진 가시 범위에 스스로가 제대로 서 있는지 가늠이 되지 않았다.

저런.

염라가 그녀를 부축했다. 그는 한봄의 왼쪽 눈앞으로 손을 휘휘 저으며 사각지대가 어디까지인지 직접 확인했다. 가까이에서 들여다본 한봄의 동공은 얼어붙은 강물처럼 희뿌옇게 굳어져갔다.

염라는 만족스럽게 고개를 끄덕였다.

이만 돌아가도 좋다. 단, 네가 어미 때문에 살지 못한 시간. 이제는 딱 그만큼이다.

염라가 한봄을 붙잡고 있던 손을 놓았다. 그녀는 몇 번이나 헛발을 디뎌 쓰러질 뻔했으나 중심을 잡고 두 발로 섰다. 발가락을 죄다 펼쳐 땅바닥을 끌어안았다. 한봄은 세상에 태어나서, 이제 와 처음으로 온 힘을 다해 서 있다고 느꼈다. 그녀는 자꾸만 기우뚱거리는 몸을 고정하기 위해 이를 악물었다. 그리고 사의를 나타냈다.

"감사합니다, 지금껏 모른 척해주셔서."

옥좌로 돌아가던 염라가 뒤돌아봤다. 그는 짐짓 놀란 표정으로 한봄을 관망했다. 그녀가 언제부터 알아챘는지 궁금한 눈치였다.

한봄은 고개를 저었다. 만신창이가 된 몸에서 긴장을 탁- 풀었다.

"어느 순간 눈치를 챘다기보단 어쩌면 사실, 처음부터 알고 있었던 것 같습니다."

지금껏 스스로 속여왔다고, 그녀가 말했다. 한봄은 그러니 이제 저를 놀리기 위해 아버지의 얼굴을 흉내 내는 것은 그만둬 달라고 부탁했다.

염라가 혀를 찼다. 오래도록 점찍어두었던 후계자 한봄과 영생의 존재와도 계약을 끝낼 생각에 진심으로 아쉬워했다.

저승 왕이 물었다.

남의 자식을 제 자식처럼 키우는 게 가능하다고 보더냐?

들어본 적 있는 의문이었다. 그때 한봄은 질문자였고 지금은 답변자로서 성실한 답변을 요구당했다. 한봄은 잠시 침묵했다. 염라의 마지막 질문에 진중한 대답을 내놓고 싶었고 그녀는 자신이 진심으로 내뱉을 수 있는 최선을 답을 내놓았다.

"계속 노력할 겁니다."

염라가 뒤돌아섰다. 틀에 박힌 정답에 흥미가 떨어졌다며 사람의 허물을 벗었다. 불꽃에서 태어난 뱀의 형태로 돌아갔다.

한봄은 사자복을 벗었다. 귀에 걸고 있던 금붙이를 내려놓고 팔의 장신구도 풀었다. 그녀는 무심결에 얼굴을 닦아내려다 흠칫했다. 손금 위로 길게 난 상처를 바라보았다. 그것은 치열하게 버텨낸 흉터이자 생명을 살린 흔적이었다. 한봄은 화상 자국을 꽤 다정하게 쓰다듬으며 염라에게 안녕을 고했다.

"대왕이 주신 돈으로 애 잘 키우겠습니다."

그 말을 끝으로 한봄은 눈을 감았다.

몸이 쥐불놀이 속으로 빨려 들어가는 느낌이 들었다. 대왕의 화통한 웃음소리가 불티 날리며 사라졌다.

그녀는 태양 광선을 버티며 유성우와 함께 떨어졌다. 바다에 빠져 파도 위를 넘실거렸다. 풍랑에 휩쓸려 떠내려갔지만 바다에서 태어난 별의 모서리를 붙잡고 버텼다. 버티고 버티다 보니 어느새 봄꽃 가득한 지옥이었다.

한봄은 제 몸이 요동치고 있다고 느꼈다. 웅성거리는 소리가 가까워지더니 뻥 하고 고막이 뚫렸다. 귓구멍으로 소리가 빨려 들어왔다. 한봄이 참았던 숨을 격하게 토해냈다. 등을 구부리고 허겁지겁 산소를 찾자 누군가 그녀의 등을 퍽퍽 두들겼다.

"죽고 싶어서 환장했냐?"

길강욱이 그녀를 내려다보고 있었다. 그가 경련하는 한봄의 어깨를 꼭 붙들었다. 잔소리를 잔뜩 준비했던 길강욱은 그녀와 눈이 마주치자마자 표정을 딱딱하게 굳혔다.

한봄이 힘없이 웃었다.

"염라가 이 정도로 봐주겠대."

자비로워라. 그녀는 진심으로 말했다.

길강욱이 복받치는 슬픔을 참으며 헛웃음을 터뜨렸다.

"너를 어지간히 아껴야지. 나를 여기 떨구고 사라졌을 정도면."

그는 오랜만에 순간 이동을 했다며 신소리를 했다.

한봄은 천천히 고개를 떨궜다. 눈을 감자 마음이 편안했다. 길강욱은 축 처지는 그녀의 몸을 붙잡고 불안하게 굴지 말라며 다그쳤다. 한봄은 조그마한 목소리로 말했다.

"피곤해."

돌아왔다는 안도감에 자꾸만 눈꺼풀이 무거워졌다. 그러나 익숙한 울음소리에, 한봄은 눈을 떴다.

주요비가 멀찍이 서 있었다. 겁에 질린 얼굴이 새파랬다. 한봄은 길강욱의 품에서 벗어나 아이를 불렀다.

"이리 와."

금방이라도 눈물을 떨굴 것 같던 주요비는 잠시 망설이더니 한달음에 달려와 그녀 품에 안겼다. 한봄은 소녀의 고개를 들어 올렸다. 눈물로 범벅이 된 뺨을 닦아주며 말했다.

"표정, 이상해."

주요비는 눈도 안 마주치고 미안하다는 말만 반복했다. 얼핏 얼핏 앞니 빠진 치열이 보였다. 어설픈 모습에 한봄은 자꾸만 웃음이 나왔다. 그녀는 흐느끼는 주요비를 품에서 떼어놓았다.

"요비야, 너한테 해야 할 말이 있어."

한봄이 조심스럽게 말을 꺼냈다.

"지금 꺼내기 부적절한 말일지 몰라. 언니는 매번 실수하잖아."

그녀가 슬프게 미소 지었다.

"사실 요비를 엄마, 아빠가 많이 만나고 싶어 할지도 몰라."

부모 이야기에 소녀가 고개를 들었다.

한봄은 마음이 저렸다. 이야기가 끝났을 무렵, 달나라 토끼에게 소원을 비는 이 꼬마가 자신을 싫어하게 될까 봐 두려웠다. 하지만 더는 자신도 다른 누군가도 속이며 살 수 없었다.

"근데 언니가 너무 놀라서 거절해버렸어. 요비 핑계를 댔지만 사실은 언니가 준비가 안 돼 있었어. 너를 빼앗기고 싶지 않았거든."

한봄은 아이에게 용서를 구했다. 고사리 같은 손을 붙잡고 몸을 수그렸다.

"언니가, 다시는 끼어들지 않을게. 원한다면 언제든 전화를 걸어도 좋아. 하지만 오늘은 아니야."

오늘은 아니었다고. 한봄은 그 말을 몇 번이다 되뇌었다. 그녀는 지금껏 자신이 살아온 인생이 우습게 느껴졌다. 말이란 얼마나 쉬운 것인지. 그녀는 저승을 빤히 알지도 못하면서 단편적인 신념으로 망자를 위로해왔다. '별 거 아닙니다. 두려워 마세요. 포기하기에 이릅니다. 다시 생각해보세요' 하며 그들에게 떠들어댔던 말들이 한없이 경솔해서 한봄은 죄스러워졌다.

쌀쌀스럽던 철옹성이 무너져 내렸다. 그 불완전한 존재를 곁사람이 보살폈다. 길강욱은 말없이 한봄의 어깨를 토닥였고 무너진 그녀를 주요비가 끌어안았다. 어린 천사는 한봄이 진정할 때까지 귓가에 속삭였다.

"언니가 슬퍼하지 않았으면 좋겠어요."

마
지
막 접
　　속

한봄의 집은 넝마가 되어 있었다. 염라의 심술이 들쑤신 결과였다. 거실 벽지는 채찍에 맞은 듯 찢겨 있었고 가구에는 까만 그을음이 꼈다. 거실에 놓인 세간들 중에 오직 전화 테이블만 멀쩡했다. 마치 저승의 은혜라도 받은 듯 홀로 말끔했다.

'이 집 팔릴까?'

한봄은 며칠 전 1009호를 방문한 부동산 중개인을 떠올렸다. 업자는 집에 들어서기도 전부터 소스라치게 놀랐다. 그녀는 벽에 등을 붙이고 입을 떡 벌렸다. 저승 불이 뒤집고 간 실내는 처참했다. 중개인은 튀어나온 침을 닦아내며 한봄을 붙잡았다. 긴장한 얼굴로 "오천 더 내리시죠." 하고 매물값을 흥정했다. 자연스럽게 이사 일정은 뒤로 미뤄졌다.

휴대폰이 우웅- 하고 울렸다. 내일 찾아오겠다는 백승석의 연락이었다. 한봄은 시계를 확인했다. 이제 곧 명랑한 초등학생이 달려올 정오였다.

주요비는 오매불망하던 언니와 눈물의 상봉을 마친 다음날부터 굳게 입을 다물었다. 아이는 그 좋아하던 어린이 치즈를 세 장이나 뜯어주고 구슬 아이스크림을 사줘도 거부했다. 나중에는 입맛이 없다는 말을 꺼내 보호자를 애타게 했다.

그렇게 간식 단식 투쟁을 벌이는 어린이와 함께 한봄이 처음 안과를 방문하던 날이었다. 한봄은 의사와 인사를 나눴고 주요비는 보호자 의자에 착석했다. 의자는 등받이 없는 동그란 스툴이었는데, 몸을 빙글빙글 돌리던 아이가 돌연 울음을 터뜨렸다. 방죽이 터진 듯이 으앙- 하고 눈물을 쏟아냈다. 한봄은 다급하게 아이를 둘러업고 복도로 나왔다.

"언니가 너무 보고 싶어서 그랬어요."

주요비가 이실직고했다.

아이는 저승차사가 너무 보고 싶은 마음에 음력을 세었다. 언니의 손톱달처럼 갸름한 그믐달이 뜬 날, 휴대폰을 손에 쥐었다.

'언니가 보고 싶어요.'

그러니 만나게 해달라고 간절한 소원을 빌었다. 달 토끼가 듣고 있을 거라고 믿어 의심치 않았다. 주요비가 마음속으로 한봄을 떠올린 순간, 저승차사의 집이 폭발했다.

아이는 자신을 탓하고 있었다. 한봄을 다치게 했다는 죄책감에 달콤한 간식까지 전폐하고 묵언을 지켰던 것이다.

한봄이 주요비를 안았다. 의기소침해진 등을 토닥이며 괜찮다고, 네 잘못이 아니라고 말했다. "지금 우리가 함께 있는 게 중요한 거야."라며 작은 가슴을 다독였다.

돌아오는 버스 안에서도 주요비는 절대 한봄의 손을 놓지 않았다. 지금껏 못다 한 말을 쏟아내듯 연달아 질문했다. '전 저승차사'로서 한봄은 성심성의껏 질문에 '응아'하겠다는 말을 꺼냈다가 주요비의 볼멘소리를 들었다.

"언니는 그럼, 어, 지금까지 이사를 어떻게 다녔어요?"

"그냥 눈 뜨면 다음 근무지였어. 이삿짐센터에서 짐만 받으면 됐고."

"근데 왜 2년마다 이사를 가야 해요?"

"비리 저지르지 말라고."

"비리가 뭐야?"

"그건 학교 선생님한테 물어봐."

한봄의 잔꾀에도 주요비는 성실하게 고개를 끄덕였다.

아이는 인도에 장애물이 나올 때마다 한봄에게 "조심해요."

하고 알리는 임무를 즐겼다. 주요비의 소소한 기쁨을 위해 통원 치료 기간을 늘렸지만 한봄의 상처는 아무런 통증도 없었고 별다른 치료가 필요하지 않았다.

담당 의사는 이를 두고 절대 있을 수 없는 불가능한 일이며 달리 말하자면 기적이라고 표현했다.

"처음에는 1년도 더 된 상처 갖고 장난치는 진상 환자이신 줄 알았습니다."

의사가 흥분해서 말했다.

떨리는 목소리로 이게 얼마나 놀라운 일인지 환자에게 이해시키고자 했다. 한봄은 그녀의 부담스러운 태도에 몸을 뒤로 뺐다. '그냥 오지 말까' 하는 생각도 들었지만 인내했다. 드디어 자신도 언니에게 도움을 줄 수 있다며 기뻐했던 작은 호위무사를 떠올리며, 한봄은 매일 오후 2시에 병원행 버스에 올랐다.

필랭이 마을 사람들은 곧 떠나는 저승차사를 은근히 챙겼다. 김옥자와 새로운 경비원, 4층의 중년 남성과 심지어는 한예리마저도 바깥에서 한봄을 마주치면 어서 집에 들어가 쉬라며 등을 떠밀었다.

한예리는 지난 그믐날, 1009호를 뒤덮었던 불길을 잊을 수가 없었다. 화재경보음을 듣고 뛰쳐나온 사람들이 목도한 풍경은 말 그대로 지옥이었다. 두려움을 넘어서서 절망을 안겼다. 사람이 어찌할 수 없다는 무력감에, 주민들은 입을 모아 말했다.

"저승사자인데, 불은 알아서 *끄겠죠*?"

다수에 기대 책임을 회피했다. 한예리는 기가 찼다. 지켜만 보지 말고 신고라도 하라며 소리쳤다.

그녀가 막 휴대폰을 손에 쥔 때였다. 어디선가 나타난 차사 복장의 사내가 망설이지 않고 1동으로 뛰어들었다. 뒤따라온 작은 인영이 그를 따라 후다닥 복도로 진입했다.

"안 돼, 꼬마야!"

소방대원이 소녀를 붙잡기 위해 뛰어갔다. 한예리도 뒤쫓아가려는데 다른 대원이 그녀를 말렸다. 두 팔을 빼앗긴 그녀가 이거 놓으라며 콘크리트 바닥에서 몸부림치던 때였다. 1009호에서 섬광탄 같은 화염이 쏟아져 나왔다.

주민들은 경기를 일으키며 뒤로 나자빠졌다. 두려운 주홍빛은 고통에 찬 사람처럼 비명을 지르다 공중에 흩어졌다. 요동치던 불줄기는 블랙홀에 빨려 들어가듯 순식간에 자취를 감췄다. 소방대원들은 어리둥절해했다. 그들은 화재 진압을 위해 물 한 방울도 소모하지 않았다.

제 집은 불타지 않아 안도했던 그날을 주민들은 기적의 밤이라고 불렀다.

한봄은 냉장고를 정리했다. 한예리가 던지듯 안겨주고 간 음식을 차곡차곡 밀어 넣었다. 오늘은 병원 대신 주요비와 꽃놀이를 가기로 한 날이었다. 한봄은 아이를 기다리며 짬짬이 집안을 청소했다.

TV에서는 그믐줄 괴담 이야기가 흘러나왔다. 앵커는 작년 봄, 자사의 시사 프로그램에서 특집 방송했던 전 저승차사와의 인터뷰를 언급하며 1년 새 비극적인 죽음을 막기 위해 어떤 대책들이 마련되었는지 전문가와 대화 나누는 시간을 가져보겠다고 말했다.

앵커가 게스트 쪽으로 몸을 틀었다. 화면상에는 '제2의 주영이 사건을 방지하려면', '그믐줄 괴담, 인수결위는 나 몰라라?'와 같은 자막이 시시각각 떠올랐다 사라졌다.

한봄은 뉴스를 들으며 전화 테이블에 엉덩이를 붙였다. 저승차사의 물건을 정리하려 했다. 그녀는 양반 다리 위에 실타래 함을 올렸다. 습관적으로 귀미리를 쓸어 넘기며 함 뚜껑을 열었다.

거울 속의 여인은 여전히 핏기가 없었다. 어릴 적 한봄은 길쭉한 코끝 때문에 자주 놀림을 받곤 했다. 그녀가 흙바닥에 쪼그려 앉아 있을 때면 아버지가 다가와 자신의 앙증맞은 콧방울을 콱 잡았다 놓았다. 어미의 코를 쏙 빼닮았다며 아낌없이 칭

찬했다. 기억 속의 어린아이가 그리운 품에 안겨 까르륵- 웃음소리를 내었다.

한봄은 이만 수화기를 집어 들었다. 오래된 추억 속에서 빠져나와 마지막 접속을 시도했다. 소란스레 굴지 않겠다고 마음먹어보지만 떨리는 가슴을 주체할 수 없었다.

"안녕."

이번에는 한봄이 먼저 인사했다.

안녕, 하고 그도 대답했다.

그녀는 습관처럼 그곳의 풍경을 물었다. 남자는 여느 날과 다름없이 똑같다고 말했다. 매번 '어떻게' 똑같은지는 말을 아꼈다.

한봄은 사내의 행동을 가늠해보았다. 날선 턱을 들어 주변을 둘러보고 있을까. 고불거리는 앞머리를 입으로 후- 불어 넘기고, 장난기 넘치는 표정으로 뭇 여인들의 마음을 설레게 하고 있진 않을까.

사내를 떠올리며 한봄은 테이블에 턱을 괴었다. 이렇게 계속 하늘을 바라보고 있다면, 어쩌면 그와 눈이 마주칠지도 모른다는 맹랑한 가정을 세우며 구름 속을 응시했다.

오늘은 기분이 좋아 보인다고, 그가 넌지시 말했다.

한봄은 그게 느껴지냐고 물었다. 사내는 "콧노래 흥얼거리는 소리를 얼핏 들은 것 같아."라고 말했다. 귀도 좋다며 그녀가 엷게 웃었다.

한봄이 수신자를 불렀다.

"백승석."

상대방은 어떠한 질문이든 늘 최선을 다해 대답을 해주었었는데, 오늘 처음으로 입을 굳게 다물었다. 한봄이 "백승석 씨." 하고 다시 불렀지만 아무 말이 없었다.

한봄은 전화를 꼬옥 움켜쥐었다. 수화기를 넘어오는 뜨거운 숨소리에 덩달아 눈시울을 붉혔다.

그녀는 그가 염라대왕과 어떤 계약을 맺었는지 알지 못했다. 다만 어디와도 접속하지 않은 다이얼 전화기의 수신인이 처음부터 지금까지 모두 다 그였다는 사실을 알았다.

"당신이 이렇게 나를 붙잡고 있는데 내가 어떻게 떠날 수 있겠어."

한봄은 백승석이 느꼈을 불안을 가늠해보았다. 언제든, 어떤 이유로든 세상을 등지려는 여인을 위해 그는 새벽에도 걸려오는 전화를 받았을 것이다.

한봄은 멀리 하늘을 바라보았다.

"고마운 일투성이야. 여자친구 기일에 맞춰서 여름마다 꽃 들고 찾아오는 남자가 세상에 어디 있어."

한봄은 손바닥을 들어 왼쪽 눈을 가렸다. 눈부신 태양을 응시했다. 그녀는 한쪽 시력을 잃었지만 대신 다른 세상에 눈을 뜬 기분이었다.

"전화는 이번이 마지막이에요. 이제는 내가 거기로 갈 거야."

"네가 무슨 수로."

그제야 반대편에서 말이 들렸다. 자잘한 소음은 장막이 거치듯 사라지고 백승석의 육성이 또렷이 수화기를 넘어왔다.

한봄은 귀 뒤로 머리카락을 넘기며 대답했다.

"버스 타고. 나도 이제 세상 사는 법을 배워야죠, 오래 살 거니까."

점쟁이 할매의 말은 다 뻥이었다. 길강욱은 그녀가 장수할 팔자라고 했다.

한봄이 양반다리를 풀었다. 전화 테이블에서 살며시 다리를 내려놓았다. 발에 닿은 바닥의 촉감이 어색했다.

그녀는 맨발을 꼼지락거리며 백승석에게 말했다.

"같이 산책하러 가요, 야생화가 보고 싶어."

두 사람은 언제나 그렇듯이 그리움 없이 그리운 상대에게 이별을 고했다.

백승석은 언제나처럼 대답했다.

"기다릴게."

한봄은 초인종을 누르는 소리에 수화기를 내려놓았다. 돼지 꼬리처럼 말린 전화선이 용수철처럼 늘어났다. 툭- 하고 둔탁한 소리를 내며 바닥에 떨어졌다.

"언니." 하고 작은 목소리가 문을 두드렸다.

한봄은 두꺼운 코트를 몸에 두르며 말했다.

"지금 나가."

정오의 태양이 거실에 내리쬐었다. 한봄은 하얀 빛살 안으로 발을 내밀었다. 발등이 따끔했다. 오늘따라 햇살이 따뜻해서 기분이 좋아졌다. 아니, 따스한 햇살보다도 어쩌면 그 햇살이 따스하다고 느낄 수 있는 마음의 여유가 그녀를 기쁘게 했다.

태양의 축복 한 줄기 없는 세상은 얼마나 초라한지. 지금껏 달의 그림자에 살았다. 이제 그녀는 통화국 대리인이 아닌, 저승 차사가 아닌 생자로서의 첫걸음을 내디뎠다.

한봄의 봄이 그곳에 있었다.

에필로그

배 앵커가 변호사의 방문을 반겼다. 김웅완 변호사는 이전에도 아동 학대, 일가족 극단적 선택 등과 관련하여 배 앵커와 다수의 인터뷰를 진행한 바가 있었다.

그는 호소력 짙은 어조로 피해자를 대변했으며 변호사는 차갑고 냉철하다는 고정관념과 달리 사건사고의 해결책을 인도주의적 관점에서 모색하는 등 새로운 방식의 통찰력을 선보였다. 이러한 옆집 삼촌 같은 푸근한 이미지는 시청자들에게 큰 반향을 불러일으켰고 그는 방송 이후로 '한풀이 전문 변호사'라는 별명이 생겼다.

TJC 방송국은 작년 3월, 같은 채널의 시사 프로그램을 통해 저승줄의 비밀을 파헤치는 방송을 내보냈었다. 〈그믐줄 괴담

- 저승은 과연 존재하는가?〉 편은 방영 직후 온라인 커뮤니티를 뜨겁게 달궜다. 또한 최근 며칠 사이 '그믐줄을 통한 극단적 선택' 사건이 연일 보도되면서 국민적 관심이 뒤따랐다. 이러한 흐름을 눈여겨본 보도국 PD는 곧장 관련 인터뷰를 준비했다. 그리고 오늘은 바로 그 인터뷰를 촬영하는 날이었다.

큐 사인이 들어오는 걸 확인한 배성환 앵커가 입을 열었다.

"지난 5일, 저승에 있는 사람이 내린다는 그믐줄을 받고 다음 날 결국 극단적 선택을 한 17세 소년의 이야기를 전해드렸죠. 이번 달만 해도 벌써 세 번째 죽음입니다. 죽은 사람과 통화할 수 있다는 보름줄과 저승의 허락 하에 이생을 안락하게 마감한다는 저승줄. 다들 한 번쯤 들어보셨을 겁니다. 저희 TJC는 작년 3월부터 이와 관련하여 정확하고 진실된 소식만 전달해드리고자 노력하고 있습니다. 김웅완 변호사가 자리에 함께했습니다. 어서 오십시오."

"안녕하십니까."

김 변호사가 고개 숙여 인사했다.

배 앵커가 곧바로 말을 이었다.

"최근 벌어지고 있는 그믐줄을 통한 극단적 선택을 두고 일각에서는 암묵적인 존엄사, 선택적 안락사 또는 망자에게 자살을 당한 것이다, 라고 표현하고 있습니다. 현 사건의 실태를 잘 반영하기 위해 명확한 단어를 사용해야 할 듯한데요, 김 변호사님은 어떻게 생각하시는지요?"

"일단 존엄사는요, 인간으로서 지녀야 할 최소한의 품위를 지키면서 죽을 수 있게 하는 행위를 뜻합니다. 안락사와는 다른 단어고요. 우리나라 법률적으로는 뇌사자에 대한 소극적 안락사, 그러니까 생명 유지를 위한 영양 공급이나 약물 투여 등을 중단함으로써 죽음에 이르게 하는 것만 가능한 상태입니다."

변호사가 가볍게 말을 끊었다.

"하지만 앵커님이 표현하신 것처럼 그믐줄을 통해 극단적 선택을 한 사람들의 경우, 존엄사와 안락사의 범주로 구분하기는 어려운 측면이 있습니다. 대다수가 일단 생명 연장을 위해 의학적 기술이 필요하거나 무의미한 연명 치료를 중단해야 할 만큼 위중한 상태는 아니었으니까요. 저는 이러한 죽음을 새로운 형태의 자살이라고 부르는 게 맞다고 생각합니다."

김응완 변호사가 결의에 찬 표정으로 말했다.

배 앵커는 논란의 여지가 있는 발언을 짚고 넘어가고자 했다.

"그러니까 변호사님께서는 이 또한 새로운 형태의 극단적인 선택이다, 라는 말씀이시죠?"

"네, 그렇습니다. 물론 일반적인 자살과는 차별성을 보입니다. 일단 시신의 상태에서부터 차이가 나죠. 그믐날에 떠난 사람들은 사후 일주일이 경과해도 시신이 훼손되지 않고 말짱합니다. 몸에서 영혼만 빠져나간 듯하다고 하여 '저승줄 탔다'고 관념적으로 표현하기도 하고요. 하지만 고인 스스로가 세상을 등지는 선택을 했다는 면에서 저는 이를 자살이라고 생각합니다."

김웅완이 눈썹을 꿈틀거렸다.

"최근에 그믐줄을 통한 죽음이 연일 매스컴을 통해 보도되고 있지 않습니까? 어떤 인터넷 기사에서는 그믐날에 떠난 고인의 표정이 온화했다, 평안한 죽음을 맞은 듯 보였다는 등 자살을 미화하는 설명을 덧붙였고 심지어는 고인이 어떤 모습으로 발견됐는지 구체적으로 언급한 기사도 심심치 않게 발견할 수 있었습니다. 이러한 보도는 자살을 조장할 수 있다는 측면에서 분명 잘못되었다고 생각합니다."

"네, 변호사님 생각 잘 알겠습니다."

배 앵커가 끼어들었다. 그는 흥분한 변호사를 진정시키기 위해 펜을 쥔 손으로 점잖게 그를 제지했으나 김웅완은 멈출 기미가 보이지 않았다.

"그래서 제가 드리고 싶은 말씀은요, 이러한 사건을 바라볼 때는 미스터리한 현상에 대한 개인적인 관심이나 단순한 호기심을 채우기보다는 그러한 결단을 내리게 된 사람들의 사정, 상황을 조금 더 면밀히 들여다볼 필요가 있다는 것입니다. 죄송합니다, 질문하신 것과는 다른 답변이 될 수 있겠지만 기회가 된다면 한 번쯤 언급하고 싶었던 주제라서요. 우리 주변에는 세상의 어떠한 관심도 받지 못한 채 죽음을 맞이하는 사람들이 생각보다 많습니다."

이 이야기를 꼭 전해드리고 싶었다고 다시 한번 덧붙이며 김웅완이 손바닥을 조심스럽게 모아 쥐었다. 배 앵커는 넌지시 스태프 쪽을 확인하며 변호사에게 가장 무난한 질문을 던졌다.

"그렇다면 말씀하신, 세상의 어떠한 관심도 받지 못한 채 죽음을 맞이한 사건에는 무엇이 있을까요?"

"한 달 전 농산물 공장에 난 화재로 외국인 노동자 세 명이 죽었습니다. 일주일 전에는 다섯 살 남아가 의붓아버지의 폭행으로 사망했고요, 어제는 서울의 한 공사 현장에서 50대 노동자가 포클레인에 깔려 그 자리에서 사망했습니다. 이러한 사건들, 특히 노동자 산재 사망은 방송국에서 잘 다뤄주지 않습니다."

아무리 죽은 사람은 말이 없다 하지만 김 변호사는 그들이 사망한 원인에 대한 책임을 사회에, 국가에 묻고 싶었다. 열악한 근로환경과 취약한 안전 대책, 사회적 약자를 노동법 사각지대로 몰아내는 허술한 법망과 악덕 고용주에 대한 솜방망이 처벌이 반복되도록 그는 더 이상 손만 놓고 바라볼 수 없었다. 그리고 오늘도 목숨을 내놓을 각오로 자신의 상황에서 최선을 다해 치열한 투쟁을 벌이고 있을 이들을 보호하기 위해 관심을 가져 달라고, 시청자들에게 호소하고자 했다.

넌지시 스태프 쪽을 바라보던 앵커가 오케이 사인을 확인했다. 논점을 벗어난 주제로 대화를 이어가도 괜찮다는 신호였다. 배성환은 뒤바뀐 화두에 맞춰 다음 멘트를 생각해냈다.

"본래 준비한 인터뷰와는 조금 결이 다른 이야기일 수도 있겠습니다만, 변호사님이 방금 말씀해주신 발언 또한 보도할만한 중요성이 높다는 판단하에 계속 이야기를 이어 나가보도록 하겠습니다."

앵커가 종이를 앞쪽으로 밀어내며 깍지를 꼈다.

"김응완 변호사님께서 자극적인 사망만 다루는 보도에 대한 문제점을 지적해주신 것 같은데요."

"네, 맞습니다."

"말씀해주시는 동안 저 또한 이번 주 시청자 여러분께 전달해드렸던 뉴스를 죽 돌이켜보았습니다. 최근 들어 저승줄 사망 외에도 묻지 마 살인, 동물 학대, 정신 질환을 가진 가해자에 의한 살인 사건과 같은 보도가 주를 이루었습니다."

변호사가 격하게 호응했다.

"유독 사망 사건이 많았죠. 그리고 범죄자에게 엄벌을 촉구

하는 국민청원이 쏟아졌습니다. 다만 그믐줄을 통한 죽음의 경우, 현재로서는 타살이 아닌 자살로 사건을 종결시키는 경우가 절대적이며 그 자체로는 형법상 범죄가 아닙니다. 이를 방조한 통화국 대리인이나 유가족들을 자살방조죄로 처벌할 수는 있겠습니다만 저승차사가 가진 불체포 특권, 그러니까 임기 중에는 저승의 동의 없이 체포가 불가능하다는 권리 때문에 이 또한 현실적으로 어려운 상황입니다. 이러한 예외 사항을 포괄하는 특례법을 하루 빨리 마련하고 실제 사건에 적용시키는 것이 중요합니다."

"아하."

배 앵커가 타이밍 좋게 끼어들었다. 그는 어떻게 하면 저 변호사의 입을 다물게 하고 오늘의 인터뷰를 논란 없이 마무리할 수 있을까를 고민했다. 그러나 유감스럽게도 김웅완 변호사는 아직 할 말이 남아 있는지 다시금 입을 벌리려 했다. 배성환은 땀이 인중을 타고 흘러내리는 것을 느꼈다.

"그러나 아까도 말씀드렸다시피, 이러한 것은 사후 대책에 대한 제도일 뿐 범죄 자체에 대한 예방에 초점을 맞춘 정책이 당장은 시급합니다. 사건이 벌어지고 나서 안타까워 하고 분노할 게 아니라 그 이전에 사회적 약자를 위한 시스템을 구축해 사고를 미연에 방지하자는 것입니다. 예를 들어 보름줄과 그믐줄이 발생

하는 지역에 자살예방센터를 세운다거나 관련 포스터를 거리에 부착하고 캠페인을 지속적으로 전개하여 그믐줄을 통한 죽음에 대한 의식 변화를 이끄는 것도 하나의 방법이 될 수 있겠죠."

김응완 변호사는 후련한 마음으로 말을 마쳤다가 혼자서 마음 고생했을 앵커를 위해 슬쩍 덧붙였다.

"그믐줄과 관련한 인터뷰는 저승차사 분을 게스트로 모신다면 더 전문적인 이야기를 들으실 수 있지 않을까 싶습니다."

배성한이 희미한 미소를 지으며 그의 시선을 피했다. 그는 카메라를 향해 몸을 돌리며 마무리 멘트를 했다.

"예, 알겠습니다. 그믐줄 괴담을 방송해드린 이후로 벌써 1년이 흘렀습니다. 그 사이 우리는 이러한 문제를 파악하고 해결하기 위해 스스로 어떤 노력을 해왔는가를 돌이켜보는 시간이 되었으면 좋겠습니다. ○○로펌의 김응완 변호사였습니다. 말씀 잘들었습니다."

앵커와 변호사가 맞인사를 나누었다.

배 앵커가 정면을 향해 다시 몸을 틀었다. 그는 곧이어 오늘의 날씨 소식을 짤막하게 전달했고 그들이 준비한 소식은 여기까지이며 오늘도 시청해주셔서 고맙다는 말로 아침 뉴스를 마쳤다.

그리고 TV 앞에 있을 시청자들을 향해 고개 숙였다.

뉴스는 끝이 났다.

작
가
의
말

이 소설은 어느 날 꾼 꿈에서 시작되었다. 2020년 10월의 가을날이었다. 낮잠에서 깬 나는 어쩐지 죽은 사람들과 통화할 수 있을 거라는 생각이 들었다. 추위를 많이 타면서 그날따라 베란다 창을 열어보았고 어슴푸레하게 지고 있는 저녁노을을 마주했다. 누군가는 '개와 늑대의 시간'이라 표현하는 그때가 나에게는 '뒤집어진 무지개'로 느껴졌다. 그리고 조만간 이걸 소설로 쓰겠구나 싶었다. 이제 내게 이야기를 짓는다는 것은 개인의 의지를 떠나 마치 신의 지시처럼 어쩔 수 없는 일이었다.

《달에서 내려온 전화》를 쓰면서 하고자 했던 말과 의도했던 바가 많았다. 책이 유행을 타지 않길 바라며 신조어와 외래어의 표기를 자제했고 이야기의 흐름을 최대한 뜻한 대로 풀어나기기 위해 단어를 쓰고 지우는 퇴고를 거듭했다. 소설 쓰기는 바느질과 같아서 장면과 장면을 매끄럽게 이으려면 바늘에 문장을 끼워 수십 번 옷감을 찔러야 한다. 문장을 바꾸고 이어 붙인 궤적이 울퉁불퉁해도 결국 소설 한 편이 완성된다. 이 놀라운 경험이 나를 소설가라 증명했고 언제까지나 소설가로 존재하도록 열망하게 할 것이다.

소설 속의 펄랭이 마을은 내가 생각하는 이상적 공간이다. 풍경이 명확하며 사계절이 완연한 시골 마을. 이곳은 유독 눈이 많이 내렸던 2020년의 겨울과 내가 기억하는 한국의 여름을 버무려 탄생하였다. 이 사랑스러운 마을에 나는 그 당시 누군가와 함께 나누고 싶었던 아름다운 풍경과 사소한 깨달음, 감동이 몰려왔던 경험을 남겨두었다. 그렇게 드문드문 떨어진 이야기의 빵 조각을 따라 여기까지 온 여러분도 이내 자신만의 펄랭이 마을에 도달하기를.

이번 원고를 끝마치면서 나는 정말 온 마음을 다하면 '작가의 말'을 덧붙일 힘도 남아 있지 않을 수 있다는 것을 깨달았다. 염라의 지옥 불에 기억력을 모두 소진한 것인지, 예전에는 어떤 방식으로 글을 썼는지 기억도 나지 않을 정도였다. 새로이 길을 찾느라 나는 한참을 헤맸다. 어떤 순간에는 눈앞이 캄캄해졌고, 울고 싶은 밤을 고동치는 심장과 함께 뜬눈으로 지새우곤 했다. 하지만 주인공 한봄이 맞이할 결말을 보기 위해 나 또한 꾸역꾸역 버티며 몸을 일으켰다.

《달에서 내려온 전화》는 환상문학 혹은 장르소설에 속하겠지만 그 안에 담은 메시지, 여러 등장인물들의 입을 빌려 내가 던졌던 삶과 죽음에 대한 물음표만큼은 환상적으로 느껴지지 않길 바랐다. 그보단 스스로 세상을 등진 사람들의 기구하고 하나같이 처절했던 인생에 집중해주길 바랐다. 소설 속 김응완 변호사가 말했듯이 '우리 주변에는 세상의 어떠한 관심도 받지 못한 채 죽음을 맞이하는 사람들이 생각보다 많'기 때문에. 그런 생각과 고민을 모아 나는 이 책을 독립출판했었다.

촉박한 마감 기한 때문에 고생했던 2021년의 2월을 기억한다. 나는 결국 후일담을 덧붙이지 못한 채 본문만 가득 채워 여러분께 책을 전달했다. 또 다른 편지를 띄울 날이 조만간 찾아오길 빌었는데 감사하게도 부크크가 그 기회를 주었다. 한 권의 책이 탄생하기까지 애써주시고 협업이 처음이라 서툰 독립출판

작가의 이야기에 귀 기울여준 부크크에 진심으로 감사드린다.

그리고 이 글을 읽고 있을 여러분께 무한한 애정을 표한다. 나는 당신을 잘 모르지만 당신은 권은경처럼 찬란히 태어나 길강욱처럼 무모했으며, 어른이 되어 백승석처럼 고요한 순간도 오시덕처럼 좌절하는 순간도 있을 것이다. 한봄처럼 영영 되돌아갈 수 없는 강을 건넌 것만 같은 불안에 잠 못 들지언정 당신의 인생은 그 자체만으로 소중한 주요비처럼 반짝일 것이라고, 낙천적이기만 한 마지막 인사를 전해본다.

다시 추운 겨울에

글지마